KB198097

멀리 있는 것은 아름답다

멀리 있는 것은 아름답다

오세영 산문집

작가

■ 머리말

가만히 귀를 열고 들어보면 이 세상 모든 것들은 무엇인가 그들만의 대화를 서로 나누고 있는 것 같다. 나는 그 사물들의 말을 듣고 싶다. 그리고 간혹 듣기도 한다. 어떤 간절한 시간에는…… 들은 사물들의 말을 혼자만 간직하기가 아쉬워 이처럼 나의 어법으로 적어본다.

아름다운 산문을 쓰고 싶었다. 그러나 그 소망이 지나치면 시가 되고 시들하면 산문이 되어버리기 일쑤였다. 이 책에 실린 글들은 그 중간쯤 해당되는 것들이라고나 할까. 모두 내 시를 소재로 풀어쓴 글들이다. 그러므로 이 책의 산문의 제목들은 곧 내 시의 제목들이기도 하다.

과분하리만큼 좋은 산문집을 엮어주신 손정순씨에게 감사의 말씀을 드린다.

2007년 정년을 앞두고
꽃잎 하롱하롱 지는 어느 봄날
오세영

목차

2부 아득한 지상에서

3부 천년의 잠

4부 피는 꽃이 지는 꽃을 만나듯

1부

나무처럼

포스트 모던 포엠

어디 시라는 것이 있었다더냐.

아무도 읽지 않고 아무도 본 적 없는

가공의 시,

있단들

있다고 말할 수 있겠느냐,

이미 언어의 통제를 벗어난 의미

부서진 음소들의 파편과 쓰레기들을

포스트 모던의 상표로 포장한

아메리카 또 하나의 상품,

그는 오늘도 TV에 나와서

CM송을 부르듯 하모니카를 불며

시를 낭독하고 있지만

언어에 가해지는 그의 폭력, 광기의 몸부림을

언제까지 시라고 말할 수 있겠느냐.

있다면

상품의 광고 문안 속에,

있다면

전화 앤서링의 안부 속에,

있다면

TV 앵커맨의 농담 속에 있는

아메리카의 시.

* 미국의 시인들은 가끔 티브이에 출연하여 코메디언같이 시를 낭독함

아직도 어디 시라는 것이 살아 있다더냐.

혼자서 가는 길이 외롭지 않다면 시적詩的이지만 혼자서 가는 길이 외롭다면 그건 리얼리즘이다. 한때는 외로움이 좋은 때도 있었다. 홀로 책상 앞에 앉아 긴 편지를 써도 마음은 충만했고, 홀로 당신을 먼발치에서 바라만 보아도 즐거웠고, 홀로 완행열차에 올라 훌쩍 어디론가 떠나버리는 것도 좋았다. 아아, 시는 왜 사랑하는 사람과 함께 있을 때는 쓰이지 않는가.

그러나 이제 누구도 홀로 있기를 바라지 않는다. 홀로 있는 것은 외로움, 그 이상도 이하도 아닌 것, 혼자 사는 것이 허망해 어떤 이는 멍하니 하늘을 바라고, 혼자 사는 것이 쓸쓸해 어떤 이는 밤새워 컴퓨터 게임에 빠지고, 혼자 사는 것이 삭막해 어떤 이는 애완견을 쓰다듬으며 하루해를 보내고, 혼자 사는 것이

불안해 어떤 이는 신경안정제를 복용해 잠들고, 혼자 사는 것이 무서워 어떤 이는 스스로 죽음을 선택한다. 외로움은 하나의 질병 그 이상도 이하도 아닌 것.

어찌하여 이렇게 되었는가. 왜 홀로는 홀로일 뿐인가. 왜 홀로 있어도 둘일 수 없는가. 예전에 우리는 그렇지 않았다. 홀로 있더라도 홀로가 아니었는데, 홀로 있어도 당신은 항상 나와 함께 있었는데, 지금은 어떤가. 당신과 함께 있어도 기실은 나 홀로인 것을. 대체 당신은 어떻게 되었는가. 어디로 떠나버렸다는 말인가.

홀로 있음을 그에게 묻지 마라. 그도 당신에게 똑같이 물을 것이다. 관심이 없으면 홀로 있는 것, 그리움이 없으면 설령 둘이 있더라도 홀로 있는 것, 사랑이 없으면 둘이 있더라도 둘 다 없는 거나 마찬가진 것, 백화점 판매대의 진열된 물품들을 보아라. 각자 한군데 모여 있지만 각자 외로운 홀로일 뿐이다. 주고받는 것이란 물건, 사고 파는 것이란 상품, 그들에겐 사랑이, 그리움이 없다.

사랑과 그리움은 둘을 하나로 맺어주는 끈, 눈에 보이지 않는 실, 그로하여 멀리 떨어진 둘도 하나가 된다. 그로하여 홀로 있음도 홀로 있지 않음이 된다. 시란 멀리 있는 그리움의 끈을 실패로 감는 일, 홀로 가면서도 외롭지 않은 자가 시를 쓰는 이유도 여기에 있는 것이다. 혼자서 가는 길이 외롭지 않다면 시적詩的이지만 혼자서 가는 길이 외롭다면 그건 리얼리즘이다.

그러나 아직도 시라는 것이 어디 살아 있다더냐.

아무도 읽지 않고 아무도 본 적이 없는 현대의 시, 이미 언어의 통제를 벗어난 음소들의 파편과 쓰레기들을 포스트 모던의 상표로 포장하여 고상한 채 읽는 흉내를 내고 있지만, 가공의 독자들을 향해 실없이 읊조리지만, 누구도 그 실체를 본 적이 없다. 감동이 사라진 외로움의 넋두리를, 아름다움을 상실한 광기의 몸부림을 어찌 더 이상 시라고 말할 수 있겠느냐.

있다면 고객을 홀리는 상품의 광고 문안 속에, 있다면 전화 앤서링의 녹음된 안부 인사에, 있다면 티브이 뉴스를 진행하는 앵커맨의 농담 속에, 있다면 애니메이션의 순정 만화 대화에 언뜻 비치고 사라지는 오늘의 시.

홀로 책상 앞에 앉아 긴 편지를 써도 마음만은 충만했던 때, 홀로 당신을 먼발치에서 바라만 보아도 즐거웠던 때, 홀로 완행열차에 올라 훌쩍 어디론가 떠나버려도 좋았던 그때가 그립지 아니한가. 지금은 그 어떤 이도 홀로 있기를 두려워하는 시대, 외로움은 외로움 그 이상도 이하도 아니다.

혼자서 가는 길이 외롭지 않다면 시적詩的이지만 혼자서 가는 길이 외롭다면 그건 리얼리즘이다. 소설보다 신문 기사보다 더 지독한 리얼리즘이다.

아이스 워터

생명이

따뜻한 물을 좋아하듯 물질은 또한

차가운 물을 좋아한다.

거칠게 몰아쉬던 숨을 한 컵의 냉각수로 재우는

저 기계들의 일상을 보아라.

자동차의 엔진, 철공소의 선반, 제철소의 압연기, 발전소의 터빈들이

벌컥벌컥 마셔대는 냉수,

물질은 원래 차기 때문에

찬 것으로 되돌아 가고자 한다. 그러나

생명은 따뜻한 사랑의 존재,

그 따뜻함을 지키기 위하여 항상 따뜻한 물을 먹어왔거니

아, 여기서는 이제부터 나도 기계처럼

냉각수를 먹게 되었구나.

언제부터인가

나의 조국 코리아에서도

예전엔 따끈하게 데워 먹던 막걸리, 소주, 청주를 이제
얼음처럼 차게 얼려 먹느니
이곳 아메리카에서는
도시 더운 식수를 찾을 수가 없구나.
냉수 한 컵을 들고 테이블에 와서
무턱대고 얼음을 처넣는 웨이터에게
불현듯 외치는
노 아이스No ice!
식수로 찬물을 드는 것은
인간이 물질로 환원되어 가는 시대의 한
증거일 것이다.

* 아이스 워터ice water: 미국인들은 식수로 꼭 얼음냉수만을 마신다.

정이 많아서인가. 한국인은 항상 따뜻한 물을 마셔왔다. 더운 차를 마시고, 더운 국을 마시고, 더운 숭늉을 마시고, 더운 탕약을 마셨다. 심지어 불타는 물 그 술조차……. 뜨끈하게 데운 정종, 팔팔 끓인 소주, 미지근한 약주…… 한국인은 전통적으로 더운 술을 들었다. 따뜻한 정이라고 하지 않던가. 따뜻한 마음이라고 하지 않던가. 마음이 심장에 자리하듯 따뜻함은 바로 정

인 것이다. 정이 없다는 것은 찬바람이 휙 돈다는 것. 쌀쌀 맞은 사람. 애틋한 마음에 찬 물을 좌악 끼얹었다 한다.

정은 살아 있는 존재만이 지닌 것, 물질이나 기계에는 정이 없다. 컴퓨터를 보아라. 법칙과 논리에 따라 움직일 뿐, 이성의 명령에 따라 실행할 뿐 기계에는 정이 없다. 냉수 먹고 속 차리는 것은 정을 끊고 이성으로 돌아가는 것. 그리하여 살아 있는 생명을 유정有情, 죽어 있는 물질을 무정無情이라 하지 않던가. 기계는 더운 물을 마시지 못한다. 다만 차가운 냉수를 들이켤 뿐,

거칠게 몰아쉬던 숨을 한 컵의 냉각수로 재우는 기계들의 일상을 보아라. 자동차의 엔진, 철공소의 선반, 제철소의 압연기, 발전소의 터빈들이 벌컥벌컥 마셔대는 냉수. 한곳에 붙박여 항상 무료하게 지내는 물질들은 또 어떤가. 하늘은 호수가 달래고, 육지는 바다가 달래고, 산은 강물이 달래지 않던가. 차가운 물이 달래지 않던가. 물질은 원래 차가운 까닭에 찬 것으로 되돌아가고자 하는 것이다.

그러나 생명은 따뜻한 존재, 그 따뜻함을 지키기 위하여 우리는 항상 따뜻한 물을 먹어 왔거니——. 언제부터인가 우리도 찬 물만을 마시게 되었다. 예전엔 따끈하게 데워 먹던 소주, 청주도 이제는 차갑게 식혀야만 한다. 뜨끈한 탕약도, 따뜻한 숭늉도 차갑지 않으면 물이 아닌 것, 기계처럼 벌컥벌컥 찬물을 마셔댄다. 이 세상은 정으로 통하지는 않는 것, 사랑으로 될 일은 더욱 아닌 것, 두 눈 똑바로 뜨고 논리로, 수학으로 살아야 한다.

계산으로 살아야 한다. 시가 아니라 산문으로 살아야 한다. 냉수 먹고 속 차려야 한다.

아아, 그러나 그것은 기계나 물질의 삶, 우리는 언제부터 기계가 되었는가. 언제부터 물질로 환원되어 버렸는가. 아직도 그것을 믿지 못하는 사람들이 있다면 오늘날 우리들의 변해버린 춤을 보면 알게 될 것이다. 춤이란 생의 본능이 저절로 우러난 것이라는데, 생의 율동을 아름답게 흉내 낸 것이라는데, 훨훨 나는 새나, 깡총깡총 뛰는 사슴이나, 사자나 심지어 악어의 행동까지도 모방한 것이라는데 시방 우리들의 춤은 무엇인가.

뱅뱅 돌다 처박고, 폴짝폴짝 뛰다가 뻣뻣하게 서는 저것이 춤이란다. 허리를 갑죽갑죽, 두 다리를 발발, 엉덩이를 까불까불, 두 팔을 집적집적, 온몸을 후들후들 떠는 저것이 춤이란다. 춤이란 원래 덩실덩실 추는 법인데 온통 삐걱거릴 뿐이로구나. 생각하기 싫어서, 판단하기 싫어서 고장난 기계처럼 살고 싶은 기계의 춤, 춤이란 원래 새의 나래짓을 흉내 낸 것이라는데 예술은 자연의 모방이라는데 기계를 모방한 신종 예술 힙합을 삐걱삐걱 춘다.

정이 많아서인가.

한국인은 항상 따뜻한 물을 마셔왔거니 심지어는 술조차 뜨끈하게 데워 마셔왔거니 그러나 지금은 그 누구도 더운 물을 찾지 않는다. 이 세상 어디 정으로 될 일인가. 사랑으로 될 일인가. 그렇다고 시를 읽어야 할 일이 또 어디 있던가.

모래

결국은 한 알의
모래가 된다.

파멸이, 저 존재의 중심에서
깨어진 접시가
이루는 완성.

결국은 한 알의
결정結晶이 된다.

깨어지고 깨어져서
이겨내는 외로움,
그는 시방
바닷가에 서 있다.

들려오는 건

허무의 바람 소리와
애증의 기슭에서 부서지는 파도 소리.

가장 밝은 지상에서 뒹구는
결국은 한 알의
모래가 된다.

해조음海潮音이 된다.

결국은 한 알의 모래가 된다.

바닷가 푸른 해안에서 반짝이는 한 알의 모래, 각자 하나이면서 더불어 함께 해야 모래가 되는 모래, 덧없는 유랑의 길에서 벗어나 비로소 참다운 안식에 든 모래, 더 이상 파멸의 쓰라린 체험을 겪지 않아도 되는 모래, 그 자체로서 이제 완전해진 모래, 무한을 향해 귀를 열고 먼 해조음을 듣는 모래, 누구나 결국은 바닷가 해안에서 뒹구는 한 알의 모래가 된다.

한때는 아름다운 접시였을지 모른다. 갈맷빛 하늘에 한 마리 하이얀 학이 수놓인 분청사기. 언제인가 그 학이 우는 날에 오실 귀한 손님을 위하여 주인은 얼마나 소중히 다루었던가. 함부로 식탁에 내놓지 않았다. 함부로 부딪히지도 않았다. 함부로 꺼내 씻지도 않았다. 문갑 위에서 너부시 눈을 깔고 앉아 있는 분청사기의 그 고결한 자태.

그러나 이 세상에서 깨지지 않는 접시란 없다. 파멸하지 않는 존재는 없다. 눈 내리는 어느 날, 이삿짐을 옮기다 미끄러지면서 그만 바싹 깨지는 접시. 일순 한줌의 모래로 돌아가는 그릇.

한때는 날렵한 글라스였을지 모른다. 화려한 아라베스크 문양이 조각된 그 투명한 수정 글라스. 아무 때나 내놓지 않았다. 아무 것이나 담지를 않았다. 오직 사랑하는 그 사람이 올 때만을 기다려 식탁에 내놓은 그 투명한 수정 그라스. 반쯤 채워진 적포도주의 노을 진 색상은 얼마나 고왔던가. 술잔을 든 그녀의 장밋빛 입술은 또 얼마나 아름다웠던가.

그러나 이 세상에 깨지지 않는 글라스란 없다. 파멸하지 않는 존재는 없다. 꽃잎 지는 어느 날, 결별의 마지막 입맞춤이 끝나는 순간에 바싹 깨지는 그라스, 일순, 정적으로 돌아가는 그 침묵.

한때는 투박한 사발이었을지 모른다. 세련된 멋은 없지만 정겹게 손때 묻은 밥상의 식기, 생긴 대로 구워서일까. 초라한 식탁에선 시골 아낙네같이, 화려한 잔치상에선 어염집 귀부인같이 각각의 얼굴을 지닌 우리네 밥상의 사발. 일상으로 대해도 싫지 않은…… 때로는 아버지의 국그릇으로, 때로는 아들의 밥그릇으로, 때로는 아내의 물그릇으로 아무렇게 사용해도 불평 없는 그 막사발.

그러나 이 세상에 깨지지 않는 사발이란 없다. 파멸하지 않는 존재는 없다. 푸르른 어느 봄날, 혼례의 즐거움을 잔치하는 마당에서 바싹 깨지는 사발, 일순 한 줌의 모래로 돌아가는 그 육신.

누가 그릇을 그릇이라고만 말할 수 있는가. 사발에 밥을 퍼 담듯, 접시에 썬 김치를 담아 내놓듯, 글라스에 한 잔의 술을 따르듯 인간 역시 무엇을 담는 그릇이 아니든가. 어떤 이는 거기에 금전을 담고, 어떤이는 거기에 권력을 담고, 어떤 이는 거기에 명예를 담는다. 또 어떤 이는 사랑을 담고, 어떤 이는 증오를 담는다. 인간도 하나의 그릇, 물로 반죽되고 불에 그슬려서 살아 있는 흙, 누구나 인간은 한번쯤 물에 젖고 불에 타지만 생애의 영광을 잔치하는 마당에 바싹 깨지는 그릇……

결국은 한 알의 모래가 된다.

파멸이, 저 존재의 중심에서 깨진 접시가 이루는 한 알의 모래. 바닷가 푸른 해안에서 반짝이는 한 알의 모래, 무한을 향해 귀를 열고 먼 해조음을 듣는 모래. 지금 들려오는 건 허무의 바람 소리와 애증의 기슭에서 부서지는 파도 소리이지만 가장 밝은 지상에서 뒹구는 결국은 한 알의 모래가 된다. 누구나 바닷가 해안에서 뒹구는 한 알의 모래가 된다.

눈물

물도 불로 타오를 수 있다는 것은
슬픔을 가져본 자만이
안다.
여름날
해 저무는 바닷가에서
수평선 너머
타오르는 노을을 보아라.
그는 무엇이 서러워
눈이 붉도록 울고 있는가.
뺨에 흐르는 눈물의 흔적처럼
갯벌에 엉기는 하이얀
소금기,
소금은 슬픔의 숯덩이다.
사랑이 불로 타오르는
빛이라면
슬픔은 물로 타오르는 빛,

눈동자에 잔잔히 타오른 눈물이
어둠을
밝힌다.

불은 숯에서 타오르는 것만은 아니다.

사람들은 불이 항상 숯에서만 타오르는 것이라고 생각한다. 석탄에서, 목탄에서, 장작에서, 마른 잎새나 섬유에서 타오르는 것이라고 생각한다. 마른 유기물이 석탄이 되거나 숯이 되어야만 타오를 수 있다고 생각한다. 용광로에서 이글거리는 그 석탄불, 가난한 서민의 아궁이에서 피는 연탄불, 도요陶窯에서 활활 타는 장작불, 추위를 막아주는 화톳불, 다리미를 데워주는 숯불, 석탄이든 목탄이든 모두 숯에서 타오른다고 생각한다.

그러나 아니다. 불은 땅에서도 타오를 수 있다. 진흙이든, 참흙이든, 황토 흙이든, 심지어 모래나 시멘트 위에서도 타오를 수 있다. 길가의 코스모스를 보아라. 말쑥한 키에 하늘거리는 코스모스는 불 밝힌 가로등이 아닌가. 경사진 언덕에 부우연히 깔려 있는 안개꽃들은 멀리 아파트 숲의 창문에서 어른거리는 등불들이 아닌가. 키를 넘겨 담 너머로 꽃잎을 활짝 연 해바라기는 어두운 밤하늘을 비치는 서치라이트가 아닌가. 정원의 한 켠에 조용히 서 있는 오렌지 열매는 침실을 밝히는 실내등이 아닌가. 바닷가 하이얀 백사장의 한 켠에 외로이 핀 해당화는 밤

바다를 지키는 등댓불이 아닌가. 어느 새 감쪽같이 내려 왔을까. 낮 동안 산과 들에 지천으로 깔린 꽃들은 밤들어 도시를 불 밝힌다. 튤립과 장미로 현란하게 피어나는 도심의 꽃불 놀이. 세상의 모든 꽃들은 흙에서 타오르는 불인 것이다.

불은 항상 기름에서만 타오르는 것은 아니다.

사람들은 또한 불은 항상 기름으로 타오르는 것이라 생각한다. 석유에서, 휘발유에서, 알코올에서만 타오르는 것으로 생각한다. 젖은 유기물이 액화되어 기름이 되어야 타오를 수 있다고 생각한다. 디젤 기관차의 엔진에서 타오르는 중유, 발전소의 보일러에서 타오르는 경유, 석유 난로에서 타오르는 등유, 병원의 소독용 알코올, 이 모두 기름에서 타오른다고 생각한다.

그러나 아니다. 불은 물에서도 타오를 수 있다. 땅 위를 떠도는 물이든, 접시에 담겨진 물이든, 인간의 체내에 흐르든 물이든 심지어 하늘에 어리는 물에서조차 불은 타오를 수 있다. 연꽃을 보아라. 불이 물 속에서도 타오를 수 있다는 것은 연꽃을 보면 안다. 닳아오른 육신과 육신이 저지르는 불이 아니라 싸늘한 눈빛과 눈빛이 부딪혀 밝히는 불.

분노에 이글거리는 눈동자에서 반짝이는 눈물을 보아라. 물도 불로 타오를 수 있다는 것은 분노를 가져 본 자만이 안다. 가을날 해 저문 바닷가에서 수평선 너머 타오르는 노을을 보아라. 그는 무엇이 서러워 눈이 붉도록 울고 있는가. 뺨에 흐르는 눈물의 흔적처럼 갯벌에 엉기는 하이얀 소금기, 소금은 슬픔의 숯덩이다. 사랑이 불로 타 오르는 빛이라면 슬픔은 물로 타오르는 빛, 눈동자에 잔잔히 타오르는 눈물이 또한 어둠을 밝힌다.

비 온 뒤 동쪽 하늘에 걸린 무지개를 보아라. 하늘의 창에 축축이 젖은 그 물기로 어리는 빛, 안개 낀 도심의 네온사인같지 않던가. 때론 은은하게, 때론 몽롱하게, 자본시장의 환상을 비쳐주는 그 실루엣. 무지개는 물로 피어나는 하늘의 불이다.

불이 항상 숯으로, 기름으로 타오르는 것은 아니다. 불은 흙으로도, 물로도 타오를 수 있는 것, 살아 있는 그것이 바로 불이다. 살지도 죽지도 못하는 것은, 그래서 단순한 물질 이상이 아닌 것은 결코 타오를 수 없다. 석탄도, 석유도 사실은 원래 생명체였던 까닭에 타는 것. 살아 있는 생명체는 정신으로 타고, 죽어 있는 생명체는 육신으로 탄다.

이 세상, 생명을 가지지 않은 것으로 불 타는 것이란 결코 없다.

칼

분노에 떠는 칼도
집에 들면 잠든다.

오욕과 굴종의 하루를
밖에 두고 문을 닫는
나의 귀가.
안식은 항상
닫힌 그릇 안에 있다.

몇 번이나 칼을 뺐던가.
내려치는 용기보다도
거두는 슬기,
하나님
나는 오늘 아무 것도
베지 않았습니다.

분노에 떠는 육신을 추슬러
잠을 청하는
한밤의 명목瞑目.

깨우지 마라,
열린 그릇은 때로
독毒을 뿜는다.

밤이 한가지로 가르쳐 주는 것은 휴식이다.

일몰과 함께 귀소하는 새들을 보아라. 좁아도 아늑한 그들의 둥우리에 돌아와 가냘픈 새끼들을 감싸 안는 그 따뜻한 품, 그 넉넉한 나래 안에서 가시는 하루의 노역, 하루의 굴욕, 밖에는 찬바람이 몰아치지만, 밖에는 눈보라가 몰아치지만 밤이 허락하는 안식은 아름답다.

언제 싸움이 있었던가. 언제 모함이 있었던가. 언제 저 날 선 칼을 빼 들고 그의 목을 치려 했던가. 그러나 지금은 모든 것을 거두고, 모든 것을 용서하고 보금자리로 돌아와 쉬어야 할 시간, 빼든 칼을 집에 도로 꽂아야 할 시간, 적막한 침실에 들어 홀로 기도문을 외어야 할 시간…….

기도하는 그 얼굴을 보아라. 가면을 벗고 긍휼한 목숨으로 용서를 비는 저 애잔한 얼굴. 누가 그를 '그'라고 말할 것인가. 누가 그를 대낮의 그 미친 자라 할 것인가. 밤으로 돌아가는 것은 어머니의 품으로 돌아가는 것, 어머니의 탯줄로 돌아가는 것, 누구나 어린애가 된다. 어머니의 품 안에서는……. 새롭게 거듭나는 어린애가 된다. 다시는 가면을 쓰지 않으리라. 다시는 날 선 칼을 빼 들지 않으리라. 밤의 휴식과 함께 새로운 생을 맞이하리라.

밤이 한가지로 가르쳐 주는 것은 몽상이다.

별들을 보아라. 밤이 되면 지상에 내려와 꽃과 사랑을 나누지 않던가. 꽃잎에 구르는 저 투명한 이슬을 보면 안다. 강물을 보아라. 밤이 되면 하늘에 올라가서 은하로 흐르지 않던가. 때가 되어 땅 위에 내리는 빗물을 보면 안다. 숲을 보아라. 밤이 되면 달빛과 신방을 차리지 않던가. 아침에 가물가물 피어오르는 산안개 그 하이얀 면사포.

세상은 계산으로 이루어지는 것이 아니다. 세상은 주고받는 것만이 아니다. 세상은 금전으로만 살 수 있는 것은 더욱 아니다. 낮에 너는 이성의 날카로운 칼날로 사냥에 성공했지만, 낮에 너는 분석의 치밀한 그물로 투망에 성공했지만 한 아이의 아버지는, 한 아내의 남편은 수학으로 풀어 얻어진 존재가 아니다.

밤은 꿈꾸는 시간, 몽상의 나라, 시인이 다스리는 왕국, 그 나라에서는 누구나 시를 쓴다. 그 나라에서는 누구나 시로 일하고 시로 봉급을 받는다. 시로 교육하고, 시로 물건을 사고, 시로 선악을 판결한다. 이성과 논리는 낮의 법, 밤은 시의 법에 의해서 지배되고 유지된다. 주는 것이 받는 것이 되는, 잃어버리는 것이 얻는 것이 되는, 남을 위함이 나를 위함이 되는 시의 나라 법률.

밤이 한가지로 가르쳐 주는 것은 사랑이다.

어두울수록 더욱 환하게 빛나는 불빛을 보아라. 새파랗게 얼어붙은 허공에는 별들이 등불을 켠다. 그 따뜻한 불빛 아래서 손과 손을 마주잡고, 눈빛과 눈빛을 대하며 추운 겨울밤을 지샌다. 삭막한 지상에는 외로운 꽃들이 등불을 켠다. 그 따뜻한 불빛 아래서 이마와 이마를 맞대고, 뺨과 뺨을 부비며 어두운 봄밤을 지샌다. 강 건너 깜박이는 등불, 그 창 안에 켜 있는 한 접시의 막막한 촛불, 거기에 스스로 자신을 태워서 밝히는 사랑이 있다.

지아비가 있다. 노역과 굴종의 하루해를 마감하고 추위에 떨면서 집에 돌아와 지어미 곁에 조용히 몸을 눕히는 지아비가 있다. 아버지가 있다. 분노와 슬픔의 하루 일을 마치고 집에 돌아와 말없이 새끼들을 품어 안는 아버지가 있다.

그리하여 이 밤이 새면 그 사랑의 불빛은 우리들의 가슴을 또한 다시 덥힐 것이다.

설날

새해 첫날은
빈 노트의 안표지 같은 것,
쓸 말은 많아도
아까워 소중히 접어 둔
여백이다.

가장 순결한 한 음절의 모국어母國語를 기다리며
홀로 견디는 그의 고독,
백지는 순수한 까닭에 그 자체로 이미
충만하다.

새해 첫날 새벽
창을 열고 밖을 보아라.

눈에 덮혀 하이얀 산과 들,
그리고 물상들의 눈부신
고요는

신神의 비어 있는 화폭 같지 않은가.

아직 채 발자국 하나 찍히지 않은
눈길에
문득 모국어로 우짖는
까치 한 마리.

새해 새 아침, 창문을 열고 밖을 내다 보면 눈에 과연 무엇부터 들어오는가. 먼 들판에 웅크리고 앉아 있는 오두막과 거기 피어 오르는 가냘픈 연기인가. 앙상한 느티나무 가지 위에 위태롭게 걸려 있는 까치 둥우리인가. 어제의 그 앙징스럽고 천진난만한 개구쟁이들은 이제 찾아볼 길 없는데 홀로 전신주에 걸려서 바람에 울고 있는 방패연인가.

아니다. 그렇지 않다. 그런 풍경들은 새해 새날을 맞는 사람들에게 어울리는 것들이 아니다. 그것은 가장 어두운 날 저녁, 죽음보다 더 깊은 잠을 예비하는 사람들에게나 들려줄 수 있는 만가輓歌, 지금 꿈길에서 일어나 막 창문을 여는 우리들에게 주는 언어는 아니다. 부신 햇살에 눈을 비벼 뜨는 자는 먼저 하늘을 바라보지 않고 땅을 굽어 본다. 텅 빈 공간을 바라보지 않고 차고 넘치는 이 지상을 바라본다. 고운 것과 싫은 것이, 이쁜 것과 미운 것이 한데 어울려 추하도록 황홀하게 그 자태를 드러내는 이 지상에서의 만남을…….

굴뚝 끝에서 사라지는, 가냘픈 그 하얀 연기를 쳐다보지 마라. 연기는 더 이상 존재가 아니다. 그것은 꿈의 흔적, 타버린 언어의 재, 설령 그것이 은하를 건너 무한에 도달한다 하더라도 결코 의미가 될 수는 없다. 너와 나와의 진실이 될 수는 없다.

앙상한 가지 끝에서 위태롭게 위태롭게 매달려 있는 까치 둥우리. 그것은 이미 주인을 잃어 버린 보금자리. 텅 빈 존재의 껍질. 설령 당신이 저 하늘에 집을 짓는다 하더라도 그 새끼들을 키울 양식은 이 지상에 있는 것이다.

새해 새 아침, 창문을 열고 밖을 바라보자. 아직 졸음이 채 가시지 않은 눈을 비벼 뜨고 부신 햇살 아래서 찬란하게 그 자태를 드러낸 이 지상을 바라보자. 그때 여러분들은 문득 자신이 살아 있다는 사실에 환희를 느낄 것이다. 황홀하도록 아름다운 이 지상의 사물들을 보고 눈물이 나도록 감격할 것이다. 미운 것도, 싫은 것도 이처럼 아름다울 수 있다는 사실에 새삼 경탄을 하게 될 것이다. 그것은 하늘이 아니라 이 지상을 바라보는 자에게 새해 새 아침이 내리는 축복이다.

새해 새 아침이다. 눈을 비벼 뜨고 창문을 열자. 거기엔 찬란하게 쏟아지는 햇살 아래서 온 누리 눈으로 덮인 하얀 세계가 우리를 기다리고 있다. 그 순백의 지면에 이제 우리 한 편의 시를 쓰자. 눈밭에 내린 한 쌍의 까치가 모국어로 아침을 울듯…….

3월

흐르는 계곡물에
귀 기울이면
3월은
겨울옷을 빨래하는 여인네의
방망이질 소리로 오는 것 같다.

만발한 진달래 꽃숲에
귀 기울이면
3월은
운동장에서 뛰노는 아이들의
함성으로 오는 것 같다.

새순을 움틔우는 대지에
귀 기울이면
3월은
아가의 젖 빠는 소리로

오는 것 같다.

아아, 눈부신 태양을 향해
연녹색 잎들이 손짓하는 달, 3월은
그날, 아우내 장터에서 외치던
만세 소리로 오는 것 같다.

3월이 어떻게 오던가.

꽃바람을 타고 오던가. 비바람을 타고 오던가. 샛바람을 타고 오던가. 아니다. 3월은 봄바람이 아니라 물소리로 온다. 흐르는 물에 가만히 귀 기울이면 먼 곳의 얼음장 풀리는 소리. 돌돌돌 여울 속 피라미 떼를 채근하는 자갈들의 속삭임 소리가 난다. 졸졸졸 갯가의 잠든 풀잎들을 깨우는 잔물결 소리도 난다. 그러나 아련하게 내 고막을 울리는 또 하나의 그 낮은 소리.

겨울옷을 빨래하는 여인네의 방망이질 소리로 온다. 계곡에 가서 흐르는 물에 가만히 귀 기울여 보아라. 여러분들은 여인네의 방망이질 소리와 함께 다가오는 봄의 소리를 들을 수 있을 것이다. 이 땅의 아름다운 처녀들이여, 순결한 누이들이여, 지금 빨고 있는 그 눈부시게 흰옷들은 누구를 위한 것인가. 사랑하는 당신의 사내들은 시방 새로운 경작을 준비하면서 가슴들이 들떠 있다. 그들은 가장 기름진 흙에 가장 확실한 씨앗들을 뿌릴 것이다. 그를 위해 한 시대의 더러운 때를 어찌 말끔히 씻어내지 않으리. 흐르는 계곡물에 귀 기울이면 3월은 겨울옷을 빨래하는 여인네의 방방이질 소리로 온다.

3월이 어떻게 오던가.

산바람을 타고 오던가. 들바람을 타고 오던가. 강바람을 타고 오던가. 아니다. 3월은 봄바람이 아니라 들뜬 아이들의 숨결 소리로 온다. 나무에 가만히 귀 기울이면 가까이 숲에서는 어린 가지들의 수액 빠는 소리. 머얼리서는 화들짝 꽃봉오리 터지는 고음이 난다. 잠자는 새순을 깨우는 산 할미의 낮은 목소리도 들린다. 그러나 아, 아련하게 어우르는 또 다른 음성.

운동장에서 뛰노는 아이들의 함성으로 온다. 울긋불긋 피기 시작하는 꽃. 만발한 진달래꽃 숲에 귀를 대고 들어보아라. 가갸 거겨 힘차게 낭송하는 학동들의 글 소리가 들리지 않는가. 도레미파 귀엽게 합창하는 소녀들의 동요 소리가 들리지 않는가. 와글와글 떠드는 운동장의 공차는 소리가 들리지 않은가. '쨍'. 창틀에서 얼음장 깨지는 소리. 아, 꽃들은, 어린 순들은 나무에게만 있는 것은 아니다. 산에만 있는 것은 더욱 아니다. 이 나라 귀여운 개구쟁이는 모두가 새순이고 꽃눈인 것을…….

만발한 진달래꽃 숲에 귀 기울이면 3월은 운동장에서 뛰노는 아이들의 함성으로 온다.

3월이 어떻게 오던가.

강물을 타고 오던가. 구름을 타고 오던가. 햇살을 타고 오던

가. 아니다. 3월은 봄바람이 아니라 만세 소리로 온다. 대지에 가만히 귀 기울이면 어디선가 월동을 끝마치고 힘껏 팔을 뻗는 반달곰의 기지개 켜는 소리, 겨울잠에서 깨어난 개구리의 힘찬 도약 소리, 막 허물을 벗은 호랑나비의 황홀한 나래짓 소리, 숲 속에선 노랑지빠귀가 산란하는 소리도 들린다. 그러나 아, 아득하게 귀를 울리는 또 다른 목소리.

어느 3월, 아우네 장터에서 외치던 만세 소리가 들린다. 3월의 강가에서 들어보라. 망초 더부룩이 피어 있는 들녘에서, 쑥국새 무심히 우는 숲 속에서…… 아니 눈을 가만히 감고 네 혈관에 흐르는 피 소리를 들어보라. 어디선가 들려오는 그 소리, 쇠사슬 끊는 소리, 벽 허무는 소리, 숭례문 활짝 열리는 소리.

아아, 눈부신 태양을 향해 연녹색 잎들이 손짓하는 달, 3월은 그날, 아우네 장터에서 외치던 만세 소리로 온다.

3월이 어떻게 오던가.

꽃바람 타고 오던가. 비바람 타고 오던가. 아니다. 3월은 누군가의 낮은 목소리로 온다.

나무처럼

나무가 나무끼리 어울려 살듯
우리도 그렇게
살 일이다.
가지와 가지가 손목을 잡고
긴 추위를 견디어 내듯

나무가 맑은 하늘을 우러러 살듯
우리도 그렇게
살 일이다.
잎과 잎들이 가슴을 열고
고운 햇살을 받아 안듯

나무가 비바람 속에서 크듯
우리도 그렇게
클 일이다.
대지에 깊숙이 내린 뿌리로

사나운 태풍 앞에 당당히 서듯

나무가 스스로 철을 분별할 줄을 알듯
우리도 그렇게
살 일이다.
꽃과 잎이 피고 질 때를
그 스스로 물러설 때를 알 듯

나무처럼 살 일이다.

나무는 홀로 살지 않는다. 심산계곡의 나무든, 막막 들판의 나무든, 번잡 도회의 나무든 나무는 항상 나무들과 더불어 산다. 더불어 산다는 것은 서로 의지하며 산다는 것, 나무는 백화난만의 봄도, 녹음방초의 여름도, 북풍한설의 겨울도 함께 맞고 함께 견디며 난다. 꽃잎과 꽃잎을 뺨에 부비며 보낸 봄, 잎새와 잎새들을 가슴에 안고 지낸 여름, 가지와 가지를 손목 잡고 이겨낸 겨울, 이 얼마나 아늑한 평안이었던가. 나무는 항상 더불어 사는 까닭에 외롭지가 않다.

더불어 산다는 것은 또 나누며 산다는 것, 나무는 한 샘에 같은 뿌리들을 뻗어 갈증을 푼다. 나무는 똑같이 잎을 펼쳐 대기의 이슬을 받아먹는다. 나무는 햇빛을 평등하게 나누어 쪼일 줄을 안다. 빈익빈 부익부는 인간의 탐욕, 나무들의 나라에는 탐욕이 없다. 주어진 환경대로 주어진 은총대로 서로 나누며 살아갈 뿐……

나무처럼 살 일이다.

나무는 결코 고개를 숙이지 않는다. 산속의 당당한 전나무든, 강변의 연약한 갈대든, 들의 키 낮은 다복솔이든 나무들은 항상 위를 쳐다보며 산다. 위를 치어다 보고 산다는 것은 곧 하늘을 바라보고 산다는 것, 살을 에는 추위가 닥쳐와도, 사나운 광풍이 몰아쳐도, 꽃 향기 코끝을 간질일 때에도 나무는 결코 무릎을 꿇거나 자세를 흐트러뜨리지 않는다. 푸르른 하늘을 우러르면서 나무들은 자란다. 빛을 향해서 자란다.

위를 쳐다보며 산다는 것은 또한 굽히지 않고 산다는 것, 비록 흔들릴 때도 있지만, 등질 때도 있지만 나무는 차라리 꺾여 쓰러질지언정 결코 자신을 굽히지 않는다. 하얗게 뒤집어 쓴 눈더미 속에서도 꼿꼿하게 고개를 쳐든 저 나무들의 머리를 보아라. 비록 그 무게에 짓눌려 가지를 부러뜨린다 하더라도 그는 영하의 차갑게 얼어붙은 하늘을 우러른다.

나무처럼 살 일이다.

나무는 결코 철을 놓치지 않는다. 봄과 여름을, 가을과 겨울을, 계절의 그 변화를 분명히 안다. 울안의 흐드러진 꽃나무든, 과원의 무르익은 과목이든, 산 속의 청청한 장송長松이든 나무는 항상 제철을 놓치지 않는다. 철을 놓치지 않는다는 것은 올 때와 갈 때를 안다는 것. 사랑할 때와 이별할 때가 있듯, 세상에 태어날 때와 하늘로 돌아갈 때가 있듯 나무는 꽃을 피워 올릴 때와 열매를 맺을 때를 가린다. 꽃봉오리들이 활짝 벙그는 그 봄날 아침은 얼마나 가슴 벅찼던가. 고운 단풍잎이 우수수 질 때는 또 얼마나 가슴 아팠던가. 나무는 그처럼 올 때와 갈 때를 안다.

철을 놓치지 않는다는 것은 또 분수를 지킬 줄 안다는 것, 나무는 항상 모자람도 넘침도 없이 산다. 산에서는 산의 키만큼, 들에서는 들의 키만큼, 집에서는 집의 키만큼 제 키를 지키고 사는 나무. 우림에서는 넓은 잎을, 사막에서는 바늘잎을 피우는 그 조화로운 나무. 너무 많이 맺은 풋열매들을 스스로 떨어뜨릴 줄을 아는 그 넉넉한 생각, 숨겨진 예지를 보아라.

나무처럼 살 일이다.

나무가 나무끼리 어울려 살듯, 밝은 하늘을 함께 우러러 살듯, 그 스스로 철을 분별하며 다소곳이 살 듯…….

겨울 한나절

눈 올 듯 말 듯
햇빛 날 듯 말 듯
어둡고 추운 겨울 한나절,

포장마차 집에서 막소주 한잔, 꽃가게 가서 실없는 농담, 시계방 물끄러미 들여다보기, 돌아와서 눈물 찔끔, 그리고 다시 또 소주 한잔,

행여 동백꽃 실려올까,
불현듯 달려가 본 간이역 플랫폼.
남녘에서 오는 열차는 멎지 않고

오늘도 벌써 해 저무는데,

우체부 올 시간은 지났고
아직도 누군가

올 듯 말 듯.

누군가를 기다린다는 것은

봄날 이른 새벽에 깨어 가만히 새들의 지저귐 소리를 듣는다는 것이다. 아직 어둠은 채 가시지 않았는데, 가로등 불빛들은 유리창에 젖어 흔들리는데 밖에는 분주한 새들의 지저귐, 참새, 굴뚝새, 콩새……. 멀리서 아련하게 우는 쑥국새 소리도 들린다. 그 속에는 초등학교 시절, 같은 책상에 앉아 장난을 치던 계집애의 얼굴과 흰저고리와 검정색 치마를 단정하게 입고 학교 현관문에서 땡땡땡 시작종을 울리시던 여선생님의 얼굴과 항상 병약했던 내가 믿기지 않으셨던지 가끔 운동장 한구석의 목련꽃 그늘 아래 다소곳이 서서 나를 기다리시던 하얀 소복 차림, 어머니 얼굴.

봄날 이른 새벽에 깨어 글씨를 쓴다. 정갈한 먹의 향기, 함쑥 고개를 빼어올린 난蘭, 그 그늘에 엎드려 정성스럽게 먹을 간다. 보고 싶은 사람들의 숫자만큼, 먹물에 어렸다 사라지는 그 그리운 사람들의 얼굴 수만큼 먹을 간다. 그리고 진한 먹물을 붓에 찍어 백지 위에 써 보는 한 줄의 문장, 때로는 꿋꿋히, 때로는 흔들리면서 조심스럽게 나아가는 내 인생의 운필運筆, 그러나 그 끝은 항상 갈필渴筆이다. 아, 목말라라, 자리끼의 냉수로 목을 축이며 봄날 이른 새벽에 깨어 글씨를 쓴다. 하이얀 화선지 위에 그리운 사람들의 이름을 하나씩 적어본다. 밖에는 봄비 내리는 소리, 시나브로 꽃잎들이 지는 소리…….

누군가를 기다린다는 것은

가을밤 늦도록 잠을 이루지 못한다는 것이다. 소란스런 벌레들의 울음소리에 끌려 적막하게 우주를 내다 본다는 것이다. 하늘에는 수없이 많은 별들의 반짝임, 견우, 직녀, 수수 할미, 베틀 아기……. 지상에는 수없이 많은 등불들의 반짝임……. 그들은 너무도 멀리 있지만 그 속에는 생전에 얼굴 한번 뵈온 적이 없는 아버지가 물끄러미 나를 쳐다보고 계신 것 같다. 그 속에는 전쟁중에 진달래꽃 숲으로 사라지신 외할아버의 인자하시던 모습이 보이는 것 같다. 그 속에는 중학교 때 하늘로 떠난 옆집의 누야, 그 처량한 상여 소리가 촉촉이 배어 있는 것 같다.

잠 못 드는 가을밤, 편지를 쓴다. 백지에 누구에겐지 모를 편지를. 배달되지 못할 편지를 쓴다. 아무에게도 보낼 수 없는, 그리하여 내가 내게 보내는 그 편지, 기승전결 하나로 완성된 삶은 없을까. 비극적 구성을 지워버리고 새로 쓸 인생은 없을까. 갈잎들이 우수수 지는 가을밤에 시를 쓴다. 팔랑 날리는 저것은 담쟁이 잎, 바르르 떨어지는 저것은 코스모스 꽃잎, 털썩 주저앉는 저것은 감나무 잎새……

누군가를 기다린다는 것은

늦겨울 오후 양지바른 집 대문에 기대 서서 사람들을 바란다는 것이다. 오늘도 하루해는 다 기울어 흐린 하늘은 눈이 올 듯 말 듯……. 사람의 그림자 하나 얼씬거리지 않은 골목인데, 꼬리를 내린 한 마리 개만 비실비실 내 앞을 지나치는데 이미 우체부 올 시간은 지났는데……

나는 지금 누구를 기다리고 있는가. 누구의 소식을 듣고 싶은가. 확실한 대상이 없는 60대의 이 막막한 기다림, 그가 누구인가를 그 자신이 와서 깨우쳐 주지 않으면 알 수 없는 기다림, 희미한 기억의 저편에서 물끄러미 바라다보고 있는 그 기다림으로 인해서 나는 오늘도 한잔의 소주를 든다. 마시다 지치면 꽃가게에 들러 실없는 농담, 농담에 지치면 쇼윈도우의 창문을 통해 시계방의 시계들을 물끄러미 들여다 보기. 기적 소리 들으려 기차역으로……

늦겨울 이미 해는 저물었는데 대체 나는 누구를 기다려 이처럼 문밖에 서 있는가.

랩송의 철학

말을 잊지 않기 위하여
말을 한다.
말을 하기 위하여 말을 한다.
홀로 있으므로 말을 한다.
로빈슨 크루소도 그랬을 것이다.
아이엠 쏘리,
엑스 큐즈 미,
땡큐,
이외엔 말의 진실한 상대가 없는 말,
그래도
각자 열심히 지껄이는 것은
살아 있음을 증거하기 위한 것일까.
들어 줄 사람이 없어 흐름이 막힌 말은
체해
설사를 일으킨다.
말의 설사, 흑인들이, 아니

소외된 아메리카민중들이 부르는 랩,
로빈슨 크루소의 노래.

오늘의 아메리카는
수많은 섬들이 떠 있는 바다다.

말은 꼭 누구에겐가 하는 것만은 아니다. 자기 자신에게도 하는 것, 스스로 말하고 스스로 듣는 그것이 사람이다. 결의를 다지기 위하여, 분연히 행동에 나서기 위하여, 억울함을 갈앉히기 위하여 나는 나에게 말을 건넨다. 그리움을 풀기 위하여, 소망을 이루기 위하여 격하게, 때로 부드럽게 말하는 내 입과 다소곳이 기울이는 나의 귀.

나는 어떻게 할 것인가. 그는 이미 나의 사람이 아닌데, 그는 이제 나를 사랑하지 않는데, 그 없이는 살아갈 수 없는데……. 어떻게 할 것인가. 계곡에 흐르는 물처럼 살아라. 나는 나에게 대답한다. 흐르는 물에 떠가는 갈잎처럼, 갈잎에 내리는 이슬처럼 살아라. 나는 나에게 대답한다. 나는 때로는 나의 말에 순종하고 때로 나의 말에 거역하기도 하지만 아, 내 말을 들어 줄 내가 있다는 것은 또 얼마나 아름다운 일이냐. 내 안에 타인이 있다는 것은…….

그러나 나에게조차 하지 않는 말이 있다. 네게도, 그에게도,

나에게도 하지 않고 하는 말. 중얼중얼 허공으로 흘려 보내는 말, 그저 말하기 위하여 하는 말, 우리는 그것을 랩이라 부른다.

너나 혹은 그에게 들려주기 위해서도, 내 자신에게 들려주기 위해서도 부르는 노래가 아닌 노래, 그저 노래를 위해서 노래하는 노래, 우리는 그것을 랩송이라 부른다. 그는 홀로다. 그에겐 상대가 없다. 친구라 부를, 동무라 부를, 동료라 부를, 연인이라 부를……. 그에겐 그 안의 타인도 없다. 그러므로 그는 혼자 중얼거릴 뿐, 그저 말하기 위하여 하는 말, 그는 홀로다.

그는 어찌하여 그렇게 되었는가. '인간고도人間孤島' 란 어떤 시집의 제목인데, 그는 어찌하여 버려져서 바다에 뜬 외로운 섬이 되었는가. 어찌하여 섬과 섬을 이어주는 연락선을 잃었는가. 어찌하여 무인도에 홀로 버려지게 되었는가. 배 고프면 갯벌에 나가 조개를 줍고, 심심하면 수평선의 갈매기를 바라보고, 잠 안 오면 먼 바다 해조음을 들으면 그뿐인데, 가슴에 따뜻한 피 돌아 벼랑의 동백꽃 꺾어들면 그 뿐인데 그는 어찌하여 혼자 중얼중얼거리는가. 아무도 듣지 않는 혼자의 말을 하는가.

아마도 처음의 그는 로빈슨 크루소였을 것이다. 말을 잊지 않기 위하여 혼자 중얼거린 그 사람, 말을 하기 위하여 말을 한 그 사람, 무인도에 버려져 홀로 된 그 사람. 처음으로 랩을 부른 그 사람은……. 그러나 그의 시대는 랩이 유행하지 않았다. 아무도 부르지 않았다. 고국으로 돌아간 크루소도 더 이상 랩을 부르지 않았다. 어찌 랩을 부를 수 있으랴. 사랑하는 아내가 있고, 의지

할 동료가 있고, 기쁨 주는 친구가 있는데……

그러나 우리 시대엔 모두가 랩을 부른다. 내 안의 내게, 내 안의 타인에게 말하는 것도 지쳤는가. 블루스를 거쳐, 재즈를 거쳐 이 시대에 유행하는 랩, 블루스가 내 안의 타인에게 슬픔을 호소하는 노래라면, 재즈는 내 안의 타인에게 분노를 터트리는 노래. 그러나 우리는 이제 더 이상 이런 노래를 부르지 않는다. 그것은 진실로 나밖에 없다는 확인, 내 안의 나도 사라졌다는 실증이다. 그러므로 추억처럼 기억되는 말. 오직 말을 잊지 않기 위하여 말을 한다.

로비슨 크루소는 옛날에 있었던 사람이 아니다. 오늘의 우리도 모두 외로운 로빈손 크루쏘, 각자 험난한 바다에 뜬 무인도에 표류하여 홀로 산다. 이제 슬픔도 분노도 사라진지 오래, 다만 인간으로 남기 위하여, 언어를 지키기 위하여 추억처럼 말을 학습할 뿐이다. 반복할 뿐이다.

황홀

아름다움은 시각을 통해서 오고
황홀은
후각을 통해서 온다.

봄에
뜻 없이 황홀에 젖어
스르르 눈꺼풀이 감기는 것은
천자만홍千紫萬紅
그 찬란한 색깔보다
향기 때문이다.

10대 소녀의 청순한
—백합,
20대 소녀의 순결한
—라일락,
30대 여인의 달콤한

—아카시아,

40대 숙녀의 요염한

—장미,

의

체취.

봄에 꽃들은

일제히 입을 벌리고

향기로 말을 쏟는다.

후각으로 오는

봄.

여자에게는 바다가 있다.

여자의 육체에는, 여자의 영혼에는, 여자의 음성에는……. 여자의 육체에 배를 띄워 본 자는 안다. 그의 바다가 얼마나 깊고 푸르른가를. 맑게 개여 평화롭다가도 어느 한순간에 몰아치는 격랑. 순항을 위해서는 항상 날씨를 예감해야 한다. 그를 위해 모든 것을 바쳐야만 한다.

여자의 바다에 배를 띄운다. 잔잔한 파도 위로 힘껏 노를 젓는다. 흔들리는 요람 위에서 달콤하게 풀어지는 내 눈먼 육신.

아, 그러나 폭풍이다. 한 조각 배는 격정 속에 휘말린다. 사정없이 요동치는 선실에서 마침내 기절하고 만다. 어느덧 바람이 잔다. 심해를 벗어난 것일까. 겨우 정신을 차려 가까스로 눈을 뜬다. 배는 파도에 떠밀려 다시 잔잔히 흔들리고 있다. 푸른 하늘, 맑은 햇빛, 시야엔 섬 하나가 보인다. 붉은 동백꽃들이 아름답게 피어 있는 섬이다. 여자의 바다에 뜬 그 안식의 섬.

여자의 머리칼 냄새를 맡아 본 자는 안다. 그 싱싱한 해초 냄새를, 그 향긋한 미역 냄새를, 여자의 머리칼에 두 뺨을 부벼 본 자는 안다. 잔잔히 울려오는 파도의 속삭임을. 자장가처럼 들려오는 그 유년 시절의 해조음을. 여자의 영혼에는 출렁이는 바다가 있는 것이다. 그 깊고 푸른 바다. 그 곱슬곱슬한 은빛 파도 너머 멀리 가물가물 빛나는 수평선. 여자의 품에 안겨 머리칼 냄새를 맡는다는 것은 수평선 너머의 그 먼 나라로 항해를 꿈꾼다는 것이다.

여자에게는 푸른 하늘이 있다.

여자의 숲에서 싱그런 한 모금의 생수를 떠먹어 본 자는 안다. 완만한 구릉과 부드러운 선의 언덕 아래 신비롭게 펼쳐진 계곡. 그 무성한 숲 속을 헤쳐나가면 옹달샘 하나 숨어 있다. 밤에는 별들이 내려와 물장난 치고 낮에는 흰구름이 잠드는 그 맑은 샘, 그 안에 고여 있는 것은 물이 아니라 실은 푸른 하늘이다. 여자는 그의 몸 안에 하늘을 기를 줄을 안다. 여자의 숲에 들어가 그 샘물에서 한 모금 생수를 떠먹는다는 것은 푸른 하늘을 들이마신다는 것이다.

여자의 숲에서 과일을 따먹어 본 자는 안다. 완만한 구릉의 그 기름진 흙, 양지바른 언덕엔 싱그러운 과목 한 그루 서 있다. 풍요로운 젖의 꿀물로 자라 따사로운 햇빛으로 무르익은 한 알의 능금. 그 과육에 차오르는 것은 싱싱한 가을 햇살과 푸른 하늘과 맑은 바람이다. 그러므로 여자의 숲에서 한 알의 과일을 따먹는다는 것은 푸른 하늘을 들이마신다는 것이다.

여자의 품에 안겨서 푸른 하늘을 꿈꾼다. 향그런 과육 속에서 달콤하게 잠드는 한 마리 벌레처럼…….

여자에게는 아름다운 꽃밭이 있다.

여자 곁에 누워 본 적이 있는 자는 안다. 아니 여자의 등에 기대어 잠들어 본 자는 안다. 그 황홀한 체취, 그 아름다운 그늘, 가슴의 부드러운 봉오리, 입술에 그 떨리는 붉은 꽃잎, 여자는 하나의 꽃나무였던 것이다. 매화나무였던가. 싸늘하고 맑은 향내가 난다. 아아, 그 나무 아래 벌어지는 한 송이 꽃.

10대의 소녀에게서 나는 백합의 향기, 여자는 10대에 백합이 된다. 20대의 처녀에게서 나는 라일락 향기, 여자는 20대에 라일락이 된다. 30대의 숙녀에게서 나는 장미의 향기, 여자는 30대에 장미가 된다. 40대의 부인에게서 나는 동백의 향기, 여자는 40대에 동백꽃이 된다. 50대의 여자에게서 나는 국화의 향기, 여자는 50대에 국화가 된다. 아. 여자는 50대에 비로소 여자가 된다.

화상 火傷

봄에 피어나는 꽃들은
태양을 연인이라 생각하지만
아직 모른다.
그것이 얼마나 쓰린 아픔인가를,

부신 푸르름에 취해서
꿈꾸듯 걸어가는 길,
반짝,
빛나는 햇빛으로 어느새 두 눈은 멀고
태양은 정욕으로 타오르는데

봄에 피어나는 꽃들은
한사코 태양을 연인이라 우기면서
푸른 하늘을 자맥질한다.

지난여름 화상 입은 내 사랑은

이 봄에도 아직 아물지 않았는데.

두려움을 하나 갖는다는 것은 아름다운 일이다.

여러분들은 누구나 한번쯤 두려움에 대한 기억을 가지고 있을 것이다. 유년 시절이나 소년 시절, 그렇지 않다면 성숙한 뒤라도……. 어릴 때 느티나무 높이, 가지에 매달려 있는 까치집을 뒤지러 올라갔다가 떨어져 다리를 부러뜨린 적이 있다 하자. 이후 여러분들은 나무를 오르는 일과 같은 일에 선불리 달려들지 않을 것이다. 두려움이 신중함의 교훈을 가르쳐 준다.

어릴 때 그 긴 여름 방학 동안을 내내 놀다가 숙제를 하지 못하고 학교에 가서 선생님께 회초리를 맞은 일이 있다 하자. 이후 여러분들은 오늘의 일은 오늘 처리하는 습관을 가지게 되었을 것이다. 두려움이 성실함의 미덕을 가르쳐 준다.

어릴 때 빈집에서 어머니를 대신해 봐주던 동생이 자신의 부주의로 넘어져 혀를 깨문 적이 있다 하자. 이후 여러분들은 매사에 조신하는 태도를 갖게 되었을 것이다. 두려움이 책임감의 덕목을 가르쳐 준다.

두려움이란 자신의 능력으로는 대적할 수 없는 일과 조우할 때 생기는 감정, 두려움의 고통을 받지 않기 위해서는 자신이 감당할 수 없는 일은 가능한 피하는 것이 좋다. 과연 그것을 감당할 수 있는지 없는지 사려 깊게 생각하는 마음 그 분별심보다

상책인 것은 없다. 분별심은 두려움만이 베푸는 은총. 생각하면 신중함이나 성실함, 책임감…… 등도 모두 이 분별심의 산물에 지나지 않으리.

나의 유년 시절에도 그와 같은 두려움이 하나 있었다. 고향집 큰 마당의 연못에 관련된…… 그 아담한 연못은 우리 집안의 빨래터였다. 어느 이른 봄날, 나는 연못에서 빨래를 하시는 이모 곁에서 놀고 있었다. 그런 나의 시야에 연못가 텃밭 울타리의 아름답게 핀 나팔꽃들이 보였다. 그 꽃들을 꺾고 싶었다. 울타리를 타고 올랐다. 그러나 해를 넘겨 이미 삭아버린 옥수수 울타리는 힘없이 부러져 버렸고 나는 그만 연못에 퐁당 빠져버리고 말았던 것이다.

익사 직전에 건져진 나에게는 그 이상의 기억이 없다. 이모의 등에 업혀 푸른 하늘을 잠깐 본 것 같다는 생각 이외엔…… 이 일로 나는 어떻게 변했는가. 나는 아직도 수영을 하지 못한다. 일생 조신하는 사람이 되었다. 과하지 않게 넘치지 않게 항상 자기의 분수를 헤아려서 행동하는 그 지혜. 물에 대한 공포가, 그 익사의 체험이 나에게 분별심을 일깨워준 것이다.

두려움을 하나 갖는다는 것은 아름다운 일이다.

자연 또한 그렇지 않던가. 봄에 피어나는 꽃들은, 나무 잎새들은 위로 위로 높이 자라 오르려고 한다. 태양을 향해서 무작정 다가가려 한다. 태양을 연인이라 생각하면서, 태양을 자신의 것이라 생각하면서…… 그러나 그들은 아직 모른다. 이 세상 그 어떤 아름답고 사랑스러운 것이라 해도, 그 아무리 내게 은총을 베풀어주는 것이라 해도 결코 나 홀로만 소유할 수 있는 것은 그 어디에도 없다는 것을……

봄에 피어나는 꽃들은 무작정 태양을 향해서 다가가지만 뜨거운 폭양이 내비치는 어느 8월, 태양이 황도黃道에 머무를 때 비로소 안다. 지나치게 접근하면 그 어떤 것도 무서운 화상을 입게 된다는 것을…… 지나치게 그 아름다움을 응시하는 날에는 그 어떤 것도 두 눈이 멀게 된다는 것을……. 여러분들은 보았을 것이다. 이 가을 태양에게서 화상 입은 잎새들이 단풍으로 어떻게 붉게 물들어 떨어지는가를, 태양에게서 화상 입은 꽃잎들이 어떻게 시들어 떨어지는가를,

쇠붙이의 덧없는 종말을

버려진 땅이라지만
흙이 어찌 금보다 귀치 않으리.
제로옴에 가면 알리라.
사막에 솟아오른 불모의 바위산
밍거스, 그러나
그 벼랑에 버려진 흙더미에서는
종려나무, 푸른 그늘을 드리우고
마리포사, 유카꽃도 흐드러지게
피느니
인간의 탐욕은 금을 찾아서
암반에 실없이 허공을 내지만
메워진 흙은 가슴으로
생명을 받는다.
녹슬은 레일, 무너진 갱도,
제로옴에 가면 알리라.
쇠붙이의 덧없는 종말을,

시간은 금이 아니고

흙이라는 것을.

* 제로옴Jerome: 아리조나 사막지대의 암산岩山 밍거스Mingus 7743ft. 산록의 벼랑에 건설된 금광산촌. 서부의 골드러시 때 금이 발견되어 소위 엘도라도의 하나로 알려진 곳. 그러나 지금은 폐광이 되어 골드러시의 향수를 재현한 관광촌으로 변모되었음.

** 마리포사Mariposa, 유카Yucca: 사막에서만 피는 아름다운 꽃들.

누가 시간을 금이라고 했던가.

시간이 금이 아니라는 것은 폐광에 가본 자가 안다. 철광이든, 금광이든, 탄광이든 시간이 금이 아니라는 것은 버려진 흙더미를 들추어 본 자가 안다. 한때는 엘도라도, 황금의 고향으로 알려졌던 소읍, 아리조나주 소노라 사막, 불모의 바위산 밍거스 벼랑에 건설된 제로옴, 아무 것도 볼 것은 없지만, 아무 것도 들을 것은 없지만 그 폐광에 가본 자는 안다. 그 폐광의 버려진 흙더미에서 자라는 풀꽃들을 한번 본 자는. 시간이 금이 아니라는 사실을…….

흘러간 시간은 다시 오지 않는다. 그리하여 "촌음寸陰을 아껴

써" 라고 하지 않던가. 황금같이 쪼개 써라 한다. 시간당 임금으로 계산할 터이니 놀지 말고 열심히 일해라 한다. 때 놓치면 후회하니 지금 공부해라 한다. 정녕 그런 것일까. 아마 그럴지도 모른다. 우리는 지금 자본시장의 상품, 시간을 팔아서 금전을 모으고, 금전을 팔아서 생존을 도모하는 우리는 지금 자본의 도구.

자본의 보물섬, 라스베이거스에 황금을 캐러 가자. 그들은 안다. 역시 시간은 돈이라는 걸……투기꾼이 몰리는 주말, 평일에 52불 하던 모텔의 숙박료가 이날은 125불, 몇 군데 둘러보고 다시 오면 그 새 오른 요금 143불이다. 5분 지나 9시부턴 160불 될 터이니 빨리 결정하란다. 깍아달라는 대답엔 "No! reasonable." '적당히' 란 말 대신 '합리적' 이란 말 튀어 나온다. 앞뒤를 따져 이치에 맞는 그 '합리,' 자본의 시장에선 정녕 시간은 금이었던 것, 돈이었던 것.

그러나 폐광에 가본 자는 안다. 제로옴에 가서 황금의 종말을 확인한 자는 안다. 인간의 탐욕은 금을 찾아서 암반에 실없는 구멍을 뚫었지만, 흙을 파 끝없이 갱도를 건설했지만 당신은 아마 볼 것이다. 쇠붙이의 덧없는 종말을, 녹슨 레일, 무너진 갱도, 삭아버린 삭도, 황금은 이제 어디에도 없는데 이지러진 괭이 하나 잡초에 묻혀 있다. 진정 귀한 것은 금이 아니라 흙이었던 것을.

쓸모 없는 땅이라지만 흙이 어찌 금보다 귀치 않으리. 금을 찾으려 파헤치던 흙, 갱도를 뚫면서 퍼냈던 흙, 제로옴에 가면 알리라. 사막에 솟아오른 불모의 바위산, 밍거스, 그러나 그 벼랑에 버려진 흙더미에선 지금 종려나무가 푸른 그늘을 드리우고, 마리포사, 유카꽃도 함께 흐드러지게 피느니, 인간의 탐욕은 금을 찾아서 암반에 실없는 허공을 내지만 메꾸워진 흙은 가슴으로 생명을 받는다.

누가 시간을 금이라고 했던가. 시간이 금인 것은 자본의 합리주의, 돈으로 사고 파는 상품의 합리주의. 그러나 사랑은 돈으로 살 수 없는 것. 명예는 돈으로 살 수 없는 것. 생명은 돈으로 살 수 없는 것. 누가 시간을 금이라고 했던가. 시간은 금이 아닌 따뜻한 흙이었던 것을.

시간이 금이 아니라는 것은 폐광에 가본 자가 안다. 철광이든, 금광이든, 탄광이든 폐광의 그 녹슨 레일과 무너진 갱도를 보는 자가 안다. 폐광의 그 버려진 흙더미를 들춰본 자가 안다. 인간의 탐욕은 금을 찾아서 끝없이 흙을 파 벼랑에 버리지만 버려진 흙더미에서 움트는 생명. 사막에도 종려나무는 자라고 그 푸른 그늘에 앉아 마리포사 유카꽃 향기를 맡으면 삶이란 결코 합리가 아닌 것을……

누가 시간을 금이라고 했던가.

별처럼 태양처럼

아버지는 누구나 딸을 갖는다.
그네의 푸르른 눈동자에서,
그네의 순결한 이마에서,
그네의 장밋빛 입술에서,
아버지는 누구나 아버지가 된다.
그네의 눈동자가 드리워준 꿈,
그네의 이마가 일깨워준 정의,
그네의 입술이 불붙여준 열정,
누구나 아버지는
딸이 있으므로 아버지가 된다.

사내는 누구나 연인을 갖는다.
그네의 뜨거운 심장으로,
그네의 향긋한 숨결로,
그네의 맑은 음성으로,
사내는 누구나 사내가 된다.

그네의 심장에서 타오르는 사랑,
그네의 숨결에서 싹트는 긍휼,
그네의 음성으로 열리는 세계,
누구나 사내는
연인이 있으므로 사내가 된다.

남편은 또한 누구나 아내를 갖는다.
그네의 부드러운 손길로,
그네의 냉철한 두뇌로,
그네의 어진 눈길로,
누구나 남편은 남편이 된다.
그네의 손길로 다져진 분별,
그네의 두뇌로 단련된 지성,
그네의 눈길로 깨우친 관용,
누구나 남편은 아내가 있으므로 남편이 된다.

아, 인간은 누구나 어머니를 갖는다.
그네의 넉넉한 품에서,
그네의 따듯한 가슴에서,
그네의 부드러운 말씀에서,
인간은 누구나 인간이 된다.
그네의 품 안에서 자라난 육신,

그네의 가슴에서 차오르는 영혼,
그네의 말씀으로 빚어진 생각,
누구나 인간은
어머니가 있으므로 인간이 된다.

진실로 인간은
여자가 있으므로 인간이 된다.
한 여자의 남편으로,
한 여자의 아버지로,
한 여자의 아들로,
한 여자의 연인으로,
비로소 인간을 인간이게 하는 여자여,
한 민족의 딸이여, 아내여, 연인이여, 어머니여,
그대에게 축복 있을지니, 영원하여라,
하늘의 별처럼, 태양처럼, 아름답거라.
지상의 꽃처럼, 보석처럼,
순결하거라, 성스럽거라.

아버지는 누구나 딸을 갖는다.

아버지는 누구나 딸의 아버지가 되기를 바란다. 그러므로 아버지는 딸을 갖는다. 딸이 없는 아버지는 반쪽의 아버지, 아버지가 아닌 아버지, 밖에서만 아버지, 심 봉사를 보아라. 아내가 없어도, 아들이 없어도 딸이 있어서 아버지가 아닌가. 심청이 있어 눈을 뜨지 않았던가. 눈먼 외디프스를 보아라. 아내가, 아들이, 그리고 끝내는 세상까지 버려도 딸만은 아버지를 지켜주었다. 청순한 안티고네의 팔에 의지해 한 많은 여생을 마친 늙은 오이디푸스, 양녀에게서 삶을 구원받은 장발장을 보아라.

아버지는 누구나 딸을 가짐으로써 아버지가 된다. 그네의 푸른 눈동자를 들여다보는 그의 눈동자, 아버지는 그네의 푸른 눈동자 속에서 꿈을 키운다. 그네의 순결한 이마를 마주 대하는 그의 이마, 아버지는 그네의 순결한 이마에서 정의를 배운다. 그네의 장밋빛 입술에 겹치는 그의 입술, 아버지는 그네의 장밋빛 입술에서 연민을 배운다. 누구나 아버지는 딸이 있음으로 아버지가 된다.

남자는 누구나 연인을 갖는다.

남자는 누구나 한 여자의 연인이 되기를 바란다. 그러므로 연인을 갖는다. 연인이 없는 남자는 반쪽인 남자, 남자가 아닌 남자, 밖에서만 남자. 젊은 베르테르을 보아라. 그 여자가 연인이 되어줄 수 없었으므로 그는 죽음을 택하지 않았던가. 우리의 춘향이를 보아라. 그녀의 끝없는 기다림이 그의 남자를 당당한 남자로 키우지 않았던가. 그의 남자로 하여금 세계를 정복케 한 조세핀.

남자는 누구나 한 여자를 가짐으로써 남자가 된다. 그네의 뜨거운 열정으로 풀리는 그의 얼어붙은 마음, 남자는 그네의 뜨거운 열정으로 사랑을 불태운다. 그네의 향긋한 체취에 감싸이는 그의 굳은 육신, 남자는 그네의 향긋한 체취에서 관용을 배운다. 그네의 맑은 노래에 화음하는 그 거친 목소리, 남자는 그네의 맑은 노래로 열린 세계를 바라다 볼 줄을 안다. 누구나 남자는 연인이 있음으로 남자가 된다.

아들은 누구나 어머니를 갖는다.

아들은 누구나 한 어머니의 착한 아들이 되기를 바란다. 그리하여 아들은 어머니의 아들이 된다. 어머니가 없는 아들은 반쪽인 아들, 아들이 아닌 아들, 항상 애 어른인 아들. 어머니를 잃어서 파멸한 우리의 연산군을 보아라. 어머니의 착한 아들로 자라서 훌륭하게 된 우리의 율곡 선생을 보아라. 한석봉을, 김만중을 보아라. 아들은 누구나 어머니를 가짐으로써 인간이 되었다. 그네의 넉넉한 품에 안긴 그의 연약한 어깨, 아들은 그네의 넉넉한 품에서 사나이로 자란다. 그네의 포근한 자장가로 드는 한밤의 잠, 아들은 그네의 포근한 자장가로 영혼을 키운다. 그네의 부드러운 말씀에 저절로 고개를 끄덕이는 돌 같은 머리, 아들은 그네의 부드러운 말씀으로 분별을 배운다.

누구나 아들은 어머니가 있음으로 인간이 된다.

남자는 누구나 아내를 갖는다.

남자는 누구나 아내의 남편이 되기를 바란다. 그러므로 남자는 아내를 갖는다. 아내가 없는 남자는 반쪽인 남자, 남자가 아닌 남자, 밖에서만 남자. 남편의 영혼을 구제한 솔베지의 간절한 노래를 들어본 적이 있는가. 바보 남편을 위대한 고구려의 장군으로 키워낸 우리의 평강공주.

남자는 누구나 아내를 가짐으로써 남자가 된다. 그네의 고운 언어로 길들여진 그의 귀, 남편은 그네의 다정한 속삭임으로 감성을 기른다. 그네의 서늘한 눈매로 환하게 밝아진 그의 눈, 남편은 그네의 서늘한 눈매로 지성을 닦는다. 그네의 섬세한 손길이 어루만지는 그의 손, 남편은 그네의 섬세한 손길로 의지를 굳힌다.

진실로 인간은 여자가 있음으로 인간이 된다. 한 여자의 남편으로, 한 여자의 아버지로, 한 여자의 아들로, 한 여자의 연인으로 남자는 결국 인간이 된다.

종이컵의 사랑

식기는 단지
음식을 담는 용기만은 아니다.
한 지어미의 정성이
고운 두 손에 받쳐 식탁에 오르는 접시,
그러므로 원만한 접시는 원만한 사랑 바로
그 자체이다.
눈보라 몰아치는 추운 겨울밤,
따뜻한 벽난로 옆 식탁에 마주 앉아
한 덩이의 보리 빵을 뜯는 부부의 평화스러운 얼굴을
창 너머로 보아라.
램프의 흐린 불빛에도
백보석같이 반짝거리는 사기 컵의 웃음소리,
나이프와 포크가 접시에 부딪혀 어울러 내는
저 밝은 실로폰 소리,
그러나 이제 식기는
단지 식기일 뿐이다.

맥도날드나 타코벨, 아니 어디든
아메리카의 식탁에 놓인 식기,
한 번 쓰고 간편히 버리는 일회용
종이컵 혹은 스티로폼 접시,
세상의 남편들은 지어밀 대하기를
깨질 그릇처럼 대하라는 말씀도
그러므로 이제
수정되어야 한다.
파경破鏡이란 원래
깨진 거울을 뜻하는 말이지만
부부는 결코 깨지는 것이 아니라
필요 없으면 주저 없이 버려야 하는 까닭에…….
지어밀 대하기를 버려질 종이컵처럼
해야 하는 아메리카의 남편.

언제부터인가 우리는 이렇게 되어버렸다.

그의 생일에 선물 대신 불쑥 내어 민 종이 한 장, 옛 왕조의 봉황 문장으로 그럴듯하게 도안된, 그 위에 자랑스럽게 찍힌 아라비아 숫자 일금 10만 원과 붉은색 인주의 사인, "아무 것이나 네 갖고 싶은 것을 사렴" 하고 내어 민 그 종이는 일류 백화점이 발행한 사랑의 유가증권이다. 그가 무엇을 좋아하는지, 무엇을 기대하는지, 무엇을 간직하고 싶은지는 알 필요가 없다. 어떻든 나는 네게 무엇인가 주었으니까. 너는 내게서 무엇인가 받았으니까. 중요한 것은 무엇이 아니라 받았다는 사실. 주고받는 관계라는 그 사실, 일금 10만 원 사랑의 유가증권을 불쑥 내어 민다. 아무 것이나 갖고 싶은 것을 사렴.

그가 무엇을 좋아할까, 그의 기뻐하는 모습을 그리며 이것저것 물건을 고를 걱정이 없다. 어차피 그의 기쁨은 내게서 비롯하는 것은 아닐 테니까, 그가 얼마나 좋아할까 가슴 설레며 선물을 정성스럽게 포장할 필요가 없다. 어차피 그의 기쁨은 그 자신에게서 오는 것이니까. 우리는 서로 필요한 존재, 나는 내가 기쁘기 위하여 너를 만나고 너는 네가 기쁘기 위하여 나를 만난다. 그러니 서로의 필요를 확인하면 그뿐 굳이 나의 기쁨을 네게 전할 까닭이 없다. 아무 것이나 네 갖고 싶은 것을 사렴. 그의 생일에 불쑥 내민 백화점 상품권 한 장.

언제부터인가 우리는 이렇게 되어버렸다.

그에게 내어 민 한 잔의 종이컵, 비록 자판기에서 빼왔으나 아직 커피는 따듯하다. 그래서 뜨거울 때에 홀짝 마시고 종이컵은 쓰레기통에 버린다. 싸늘한 금속이 임시변통으로 데운 그 순간의 자극적인 맛, 손안에서 아직 교태가 날 때 얼른 먹고 버려야 한다. 오래 쥐고 있으면 쉬 차가워질 테니까. 종이컵에 커피 한잔씩을 뽑아 그와의 말문을 튼다. 어머 오랜만이야 그 동안 전화 한 통 없이……

일화용 컵이 간편한 걸 왜 굳이 사기 컵인가. 한번 쓰고 버리면 되는 건데 왜 굳이 씻고 닦아 보관한단 말인가. 산뜻하고 그럴싸한 새 것이 기다리는데 왜 굳이 헌 것을 고집한단 말인가. 헌 것은 낡은 것, 낡은 것은 못 쓸 것, 못 쓸 것은 버릴 것, 버릴 것은 되도록 빨리 버릴수록 좋은 법인데 왜 새 것 두고 헌 것을 가꾼다는 말인가. "자주 만나," 훌쩍 커피 한 잔을 식기 전에 들고 팽 내던지는 종이컵(실은 시간이 있을지 모르지만).

찻잔은, 컵은, 식기는 단지 음료수나 음식을 담는 용기만은 아니니다. 한 애틋한 사람이 정갈한 마음을 담아 권하는 한 잔의 차, 한 지어미의 정성이 고운 두 손에 받쳐 식탁에 오르는 접시, 그러므로 원만한 그릇은 원만한 사랑 바로 그것이다. 당신은 보았는가. 눈보라 치는 겨울밤, 창가의 커튼 사이로 비치는 어느 단란한 가정의 실루엣, 따뜻한 벽난로 옆 식탁에 모여 한 덩이의 보리 빵을 뜯고 있는 부부와 그 어린 자녀들의 평화스러운 얼굴들을, 램프의 흐린 불빛 아래서도 식탁의 사기 컵과 유리잔들은 흰 보석같이 반짝거린다. 나이프와 포크가 접시에 부딪혀 어울러 내는 저 밝은 실로폰 소리.

그러나 이제 식기는 단지 한번 사용하면 버려야 할 용기 이상이 아니다. 그러므로 "세상의 남편들아 지어밀 대하길 깨질 그릇처럼 대하라"는 성서의 말씀도 "세상의 남편들아 지어밀 대하길 버려질 종이컵처럼 대하라"고 고쳐 써야 한다. 언제부터인가 우리는 이렇게 되어버렸다.

애너렉시아

차라리 굶는다.

굶어 죽는 편이 더 낫다.

사람들은 그것을 다이어트라 하지만

날씬한 몸매를 가꾸기 위해서라 하지만

앙상한 몰골, 퀭한 눈초리를

어찌 아름답다 할 수 있겠느냐.

이 시대의 음식이란 먹는 것이 아니라 먹여지는 것,

뚱보를 만들어내는 사료.

그 사육의 단맛을 끊기 위하여

감옥에 갇힌 우리의 유관순 누나처럼

대마도에 유배된 우리의 최익현 선생처럼

한사코 먹지 않는다.

다이어트란

날씬한 몸매를 가꾸기 위해서가 아니라

자유인이 되기 위해서 하는 것,

울안의 가축으로 살기보다는

울 밖에서 차라리
굶어 죽는 편이 더 낫다.

*애너렉시아Anorexia: 뚱보가 되는 것에 대한 공포감에서 음식 먹기를 혐오하여 스스로 굶주리는 병, 거식증拒食症. 미국에서는 이 병으로 연간 수만 명이 사망한다는 통계가 있음.

아름다움에 대하여 쉽게 말하지 마라. "아름답다"고 쉽게 칭찬하지 마라. 그것은 아름다움을 모독하는 짓, 깔보는 말버릇이다. 너 요즘 예뻐졌어, 말하기는 쉽지만 듣는 그도 기쁘겠지만 그러나 한편으로는 또 얼마나 가슴 아픈 한마디인가. 이 말로 당신은 한순간을 즐기겠지만 그의 한 생애는 여전히 가슴을 조려야 한다. 예전에 그랬듯이, 예전에도 참고 견디었듯이……. 덥석 꺾여 그의 손 안에 든 한 송이 장미, 그러나 이제는 버려지지 않기 위하여 장미는 또 얼마나 발버둥쳐야 하는가. 참 아름답구나.

참 아름답구나. 그러나 그 한마디 말을 듣기 위하여 그는 얼마나 오랜 인고의 세월을 견디어야 했던가. 박토에 떨어지는 씨앗이 되지 않으려고, 흙에 묻혀 썩지 않으려고, 새들의 먹이로 나뒹굴지 않으려고……. 그는 또 얼마나 고통스런 세월을 보내야 했던가. 무거운 흙더미를 헤집고 나와 짓누르는 돌멩이를 전신으로 밀어 올리고, 비바람과 눈보라 피해 빛을 향해서 조금씩 정말 조금씩 키를 늘리던 그 외로운 나날들, 그는 또 얼마나 가혹한 고난의 세월을 보내야 했던가. 벌레에 먹히지 않기 위해서, 무지막지한 구둣발에 짓밟히지 않기 위해서, 철 이른 사랑의 유혹을 벗어나기 위해서……. 그리하여 장미는 장미가 되는 것이다. 그러므로 장미의 가시를 허물하지 마라. 가시가 없으면 장미가 아닌 것. 가시가 없으면 이미 아름다움이 아니다.

"너 요즘 예뻐졌어"라는 말은 무엇인가. 너 얼마나 독하게 운동을 했길래 이처럼 살을 뺐느냐는 뜻이다. 너 얼마나 안쓰러이 금식을 했길래 이처럼 체중을 줄였느냐는 뜻이다. 너 얼마나 고통스레 성형을 했길래 이처럼 달라졌느냐는 뜻이다. 너 얼마나 예민하게 조신했길래 이처럼 피부가 좋아졌냐는 뜻이다. 너 얼마나 모질게 감성을 길렀길래 이처럼 어울리는 성장을 할 수 있었냐는 뜻이다. 너 얼마나 정성껏 부단히 가꾸고 치장해서 이처럼 화사해졌냐는 뜻이다. "예뻐졌어" 네가 던진 말은 한마디지만 기다려 이 말을 듣는 그는 또 얼마나 가슴 아픈가.

브리티시컬럼비아, 아름다운 부처트 가든, 전세계의 꽃들이 몰려와 요염을 뽐내는 정원은 항상 완상가들로 북적거린다. 아름다운 감성을 지녔다는 사람들이 아름다움을 사랑해서 아름다움을 보고 또 아름다움에 감탄한다. 영어로, 불어로, 한국어로, 아랍어로, 힌디어로……탄성을 지르는 그 아름다움. 어떤 이는 향기를 맡고, 어떤 이는 사진을 찍고, 어떤 이는 스케치에

몰두하고, 잘 자란 잔디밭에는 웃통을 벗은 채 일광욕을 즐기는 사람, 독서에 열중하는 사람들도 있다.

그러나 그들은 꽃들의 공포를 모른다. 진초록 잔디밭의 그 슬픔을, 정해진 자리에서 한 치라도 위를 넘보면 여지 없이 잘리는 머리. 허락된 생활에서 한 치라도 손을 뻗치면 또 사정없이 잘리는 팔과 다리, 정원이나 공원이나 묘지나 심지어 쓰레기 하치장에서도 꽃들은 아름답고 싱싱하지만, 잔디는 푸르고 건강해 보이지만 꽃들의 아픔은 꽃만이 안다. 스프링 쿨러가 공급하는 수분을 조석으로 빨아먹고, 정원사가 제공하는 비료를 밤낮으로 받아먹고 무성한 푸르름을 자랑하지만 꽃들이여 너희는 모른다. 너희가 왜 거기 있어야 하는가를. 너희에겐 왜 침묵이 필요한가를……. 메뚜기도, 개미도, 진드기도 더 이상 더불어 살 수 없는 간헐적인 살충제 살포, 무덤보다도 더 고요한 그 정적.

참 아름답구나,

라고 말하지 마라. 그것은 아름다움을 모독하는 짓, 깔보는 말버릇이다. 진실로 아름다움을 아는 자는 아픔을 사랑하는 자인 것이다.

새해에 드리는 기도

새해 첫 새벽,
출범하는 선박들을 위해서
기도합니다.
거센 물결을 가르며
역사의 대안을 향해 전진하는
저, 꿈의 군사들,
선수는 정동正東,
끝없이 탐구하는 자들의 가슴에
청춘처럼 태양이 떠오르는 곳,
신이여, 이들에게 은총을,

새해 첫 새벽,
홀로 깨어 있는 등대수를 위하여
기도합니다.
돌아보면 세계는 깜깜한 암흑이지만
빛은 어둠 속에서만 잉태하는 것,

외로운 자만이,
깨어 있는 자만이,
오직 위대하게 패배할 수 있는 자만이
맞는 저 영광의 빛,
신이여, 이들에게 은총을.

새해 첫 새벽,
새로 태어난 아기와 어머니를 위해서
기도합니다.
차가운 가슴에 안기는 뜨거운 가슴,
마른 손목에 쥐어지는 그의 젖은 손,
그리고
다른 한손으로 켜든 한 접시의 촛불,
불이여,
꺼질 줄 모르는 생명의 의지여,
그대에게 신의 은총을,

새해 첫 새벽, 이제
우리 모두를 위해서 기도합니다.
이 세상 정의롭기를,
이 세상 평화롭기를,
그리고

이 세상 사랑으로 충만하기를,

새해 첫 새벽, 출범하는 선박들을 위하여 기도하자.

그들은 미지의 세계를 여는 꿈의 군사들, 한 곳의 안주를 거부하고, 현상을 타파하고 항상 미래를 향해 전진하는 사람들이다. 선수船首는 정동正東, 수평선 넘어 태양이 떠오르는 저곳은 우리들이 가야 할 목적지. 그곳에 우리들의 새로운 세계를 건설하리라. 법이 있다면 사랑의 법만 있는 도시, 벌이 있다면 용서의 벌만 있는 도시, 싸움이 있다면 양보의 싸움만 있는 도시, 장미꽃과 대리석과 무지개로 우리는 이 같은 도시를 건설하리라. 역사는 현상을 거부하는데서 발전하는 것, 은빛 돛폭을 활짝 펴라.

날씨는 쾌청快晴, 바람은 순풍順風 그러나 항해란 항상 순조로운 것이 아니다. 때로는 몰아치는 태풍도 있으리. 때로는 거센 물살에 휘말릴 때도 있으리. 때로는 선상船上의 반란도 있으리. 그러나 모든 난관을 헤쳐가야 한다. 모든 새로움을 탐구하는 당신들은 우리들의 꿈, 역사의 미래이니까. 장미꽃과 대리석과 무지개로 건설할 우리들의 영지領地를 위해서 새해 첫 새벽, 출범하는 선박들의 안전한 항해를 위해 기도하자.

새해 첫 새벽 홀로 깨어 있는 등대수를 위하여 기도하자.

그들은 세계의 어둠을 몰아내는 파수꾼. 시류에 휩쓸리지 않고, 대세에 편승하지 않고 냉철한 눈으로 진실을 증언하는 사람들이다. 그가 주시하는 것은 밤바다. 해면海面 아래 도사린 암초를, 파도에 휘말려 표류하는 한 시대의 정의를 직시하리라. 돌아보면 세계는 깜깜한 암흑이지만 빛은 암흑 속에서만 잉태하는 것, 그리하여 태양이 온 누리를 찬란하게 비출 때 당신은 주저 않고 말해야 한다. 황혼에 실낱같이 스러지던 한 줄기 빛이 어떻게 어둠을 밀쳐냈는지를.

그러나 당신은 얼마나 외로웠던가. 당신은 얼마나 무서웠던가. 얼마나 불면에 시달렸던가. 차라리 당신은 섬을, 시대의 그 고독한 초소를 탈출하고 싶었을 것이다. 차라리 당신은 육지로 나아가 밤의 환락에 취하고 싶었을 것이다. 어둠을 버리고 휘황한 네온등 아래를 당신의 연인과 함께 걷고 싶었을 것이다. 아니 달콤한 잠에 빠져들고 싶었을 것이다. 그러나 아니다. 당신은 진실을 지키는 파수꾼, 역사는 항상 깨어 있는 자의 눈빛으로 전진한다. 새해 첫 새벽, 밤바다를 지키는 고독한 등대수를 위하여 기도하자.

새해 첫 새벽 새로 태어난 아기와 그의 어머니를 위해서 기도하자.

생명은 홀로 살 수 없는 것, 갓난 아기의 입술에 젖꼭지를 물리는 어머니는 성스럽다. 그네의 따뜻한 가슴에 안긴 아기의 배냇짓을 보아라. 그 초롱초롱한 눈에 우리들의 진실이, 그 순백의 이마에 우리들의 희망이, 그 오물거리는 입술에 우리들의 기뿜이, 그 꼬물거리는 손에 우리들의 축복이, 그 가녀린 숨결에 우리들의 사랑이 깃들일진저. 생명은 홀로 살 수 없는 것, 우리 모두 어머니의 자식이며 모든 우리가 또한 당신이다.

그러므로 아기의 미래를 위해서, 앞으로 우리 자신이 될 아기의 미래를 위해서 이제 기도하자. 누가 성모 마리아를 보았다 하는가. 갓 태어난 아이를 가슴에 안고 물끄러미 들여다보는 어머니는, 여자는 모두가 성모인 것을……. 따뜻한 생명으로 연약한 생명을 감싸 안는 존재는 모두가 성모인 것을……. 새해 첫 새벽, 갓 태어난 아기와 그의 어머니를 위해서 기도하자.

2부

아득한 지상에서

봄은 전쟁처럼

산천山川은 지뢰밭인가
봄이 밟고 간 땅마다 온통
지뢰의 폭발로 수라장이다.
대지를 뚫고 솟아오른, 푸르고 붉은
꽃과 풀과 나무의 여린 새싹들.
전선엔 하얀 연기 피어오르고
아지랑이 손짓을 신호로
은폐 중인 다람쥐, 너구리, 고슴도치, 꽃뱀……
일제히 참호를 뛰쳐나온다.
한 치의 땅, 한 뼘의 하늘을 점령하기 위한
격돌,
그 무참한 생존을 위하여

봄은 잠깐의 휴전을 파기하고 다시
전쟁의 포문을 연다.

전쟁이란 항상 재앙을 가져오는 것만은 아니다.

전쟁이란 투쟁, 투쟁이란 경쟁인데 투쟁 없는 생존, 경쟁 없는 생존이란 있을 수 없기 때문. 생은 투쟁 속에 자신을 발전시킨다. 투쟁 속에 욕망을 충족시킨다. 생존경쟁이라는 말도 있지 않던가. 생명의 본질을 '싸움'에서 찾은 어떤 철인〔헤라클레이토스Heraclitus〕은 신神이건 인간이건 그들 내부에 싸움이 사라지게 되면 존재 그 자체가 소멸된다 하였다. 또 다른 철인〔니체F. Nietzsche〕은 전쟁은 모든 생의 동기를 유발시킨다고도 하였다. 바람직한 전쟁이란 이처럼 생을 보다 고양시키고 확장시킨다.

파괴는 창조의 어머니, 밤은 생성의 모태母胎이며, 역사는 밤에 이루어진다는 말도 있다. 그리하여 어떤 시인은 밤이 된다는 것은 곧 어머니에게로 돌아가는 일이라고 노래하였다. 밤은 기존의 모든 것을 원점으로 되돌리는 시간, 모든 존재를, 모든 형상을 지워서 무화無化시키는 시간, 그러므로 파괴의 시간이다. 그리하여 파괴는 혼돈을 가져오고 혼돈은 다시 새로운 창조를 불러들인다. 새로운 생성을 기약한다. 세계 창조는 혼돈으로부터 이루어지는 것. 그리스 신화에서도 태초에 혼돈chaos으로부터 하늘과 땅이 분화되어 이 세계cosmos가 창조 되었다고 하지 않던가.

모든 창조는 파괴 위에서 건설된다. 가치 없는 것들을 쓸어내 버리고, 썩은 것들을 도려내 버리고, 병든 것들을 치워버리고, 부정한 생각들을 수술해 버린 그 순결한 공간에서 정의롭고 건강한 창조가 이루어진다. 파괴를 위한 파괴가 아니라, 살육을 위한 살육이 아니라, 복수를 위한 복수가 아니라, 새로운 생명을 잉태하기 위한, 새로운 가치를 정립하기 위한 그 싸움이 우리가 바라는 싸움이며 전쟁이다.

전쟁이 항상 재난을 가져 오는 것은 아니다.

봄이 오는 대지를 보아라. 황량하게 얼어붙은 대지에, 매서운 추위가 몰아치는 산하를, 헐벗은 들녘에……. 봄이 어떻게 도래하던가. 점령군처럼 겨울의 그 잔인한 폭력을, 그 독선적인 이념을, 그 두려운 억압과 독재를 타도하고 오지 않던가. 혁명처럼, 전쟁처럼 당당히 맞서 싸우면서 그 모순의 영토, 부패한 나라를 하나씩 접수하며 오지 않던가.

봄이 오는 길목은 아직 눈보라 하이얗게 얼어붙은 그 추위, 백색의 파시즘도 덧없이 무너진다. 봄이 오는 길목에는 그 황량하고 매서운 겨울바람, 갈색의 테러도 속절 없이 사라진다. 광장에서, 거리에서, 골목에서 오랜 공포의 침묵 끝에 터지는 환호 소리, 박수 소리. 봄은 혁명일지 모른다. 억압과 착취를 떨치고 일어나 온 산과 들에 색색으로 피어나는 꽃들. 까르르 진달래 웃음은 붉다. 훌쩍훌쩍 개나리의 울음은 노랗다. 와와 내지르는 벚꽃의 함성은 분홍이다. 독재를 물리친 저 혁명의 아름다움.

그것만이 아니다. 전령이 떨어지자 갑자기 소란스러워지는 남쪽 해안선, 참호에서, 지하 벙커에서 녹색 군복의 병정들은 일제히 하늘을 향해 총구를 곧추세운다. 발사! 소총, 기관총, 곡사포, 각종 총신과 포신에 붙는 불, 지상의 나무들은 다투어 꽃들을 쏘아 올린다. 개나리, 진달래, 동백…… 그 현란한 꽃들의 전쟁, 적기다! 서울 영공에 돌연 내습하는 한 무리의 벌떼! 요격하는 미사일, 그 하얀 연기 속에서 구름처럼 피어오르는 벚꽃.

봄은 전쟁인가, 황량한 겨울의 대지에 터뜨리는 이 봄의 핵투하.

아득히

봄이 온다는 것은
누군가 이름을 불러 준다는
것이다.
새록새록 눈 녹는 소리에
여기저기 언 땅을 밀치고 솟아나는
새순들.

봄이 온다는 것은
누군가 흔들어 깨워준다는
것이다.
바람에
하나씩 눈 뜨는 나무의
잎새들,

봄이 온다는 것은
누군가를 그리워한다는

것이다.
아른아른 취해
아지랑이 먼 하늘 황홀하게 우러르는
꽃들의 눈빛,

봄이 온다는 것은
아득히 누군가를 사랑한다는
것이다.
가지에 물오르듯 아아,
초록으로 번지는 이
슬픔.

봄이 어떻게 오던가.

따뜻한 훈풍에 실려 오던가. 아롱거리는 아지랑이 숨결에 묻어 오던가. 밤새 속살거리는 실비를 타고 오던가. 새벽부터 짖어대는 딱새들의 울음소리로 오던가. 얼음 풀려, 묶인 목선 띄우는 갯가의 밀물로 오던가. 먼 남쪽 푸른 바닷가에서 온 완행열차의 기적 소리로 오던가. 막 도착한 그 열차는 실어온 동백꽃잎들을 축제祝祭처럼 역두에 뿌리고 어딘가 떠나버리는데……

봄이 어떻게 오던가. 먼 산 눈 녹는 소리로 오던가. 깊은 계곡

얼음장 깨지는 소리로 오던가. 묵은 옷들을 빨래하는 강가 아낙네의 방망이질 소리로 오던가. 실없이 내리는 봄비에 와르르 무너지는 산사태로 오던가. 가슴에 하이얀 손수건을 단정히 찬 신입 초등학생들의 그 경쾌한 등굣길로 오던가. 거리의 좌판 대에 진열된 봄나물의 향기로 오던가. 봄이 어떻게 오던가.

밤새 앓던 몸살로 이 아침 온몸에 피어오르던 열꽃. 첫 고백을 들은 여인의 귓속에 어리는 속삭임으로 오던가. 첫사랑에 빠진 여인의 푸른 눈동자에 어리는 별빛처럼 오던가. 첫 아이를 가진 어머니의 여린 가슴에 부푸는 흙처럼 오던가. 먼 바다를 건너 온 사내들의 푸른 힘줄에서 불끈 솟구치는 혈류血流로 오던가.

봄이 온다는 것은

누군가 이름을 불러 준다는 것이다. 이름이 없음으로 아무 것도 아닌 것에, 이름이 없음으로 있는 것이 아닌 것에 이름을 주어 이제 그 아무 것이, 그 무엇이 되도록 만들어 준다는 것이다. 꽃이라 불러주고, 나비라 불러준다는 것이다. 처녀라 불러주고 사내라 불러준다는 것이다. 처녀라 불러주어 처녀가 되는 처녀와 사내라 불러주어 사내가 되는 사내. 봄이 온다는 것은 그 무엇이 된다는 것이다. 새록새록 눈 녹는 소리에 여기저기 언 땅을 밀치고 솟아나는 새 순들.

봄이 온다는 것은

누군가 흔들어 깨워준다는 것이다. 잠들어서 아무 것도 아닌 것을, 잠들어서 없는 것이나 마찬가지인 것을 누군가 깨워서 이제 존재하는 것으로, 의미를 갖는 것으로 살아 있게 만들어 준다는 것이다. 아침에 늦잠 든 아이를 어머니가 흔들어 깨우듯 잠든 돌멩이는 흐르는 물이 깨우고, 잠든 나무는 따뜻한 봄볕이 흔들어 깨우고, 잠든 절벽은 산사태가 나서 깨운다. 잠든 마음은 의식이 깨운다. 흔들어 깨워서 마음이 되는 나의 마음, 봄이 온다는 것은 누군가 흔들어 깨워 의미를 만들어 준다는 것이다. 바람에 하나씩 눈 뜨는 나무의 잎새들.

봄이 온다는 것은 누군가를 그리워한다는 것이다. 무심히 지나쳐 아무 것도 아닌 것을, 무심해서 없는 것이나 마찬가지인 것을 그리움은 누구에겐가 고귀한 것으로 만들어준다. 가치 있게 만들어 준다. 흐르는 물 속의 돌멩이는 먼 하늘의 흰 구름을 그리워하고, 갓 피어난 여린 새싹들은 태양을 그리워하고, 무너진 절벽은 감싸 안을 수풀을 그리워한다. 봄이 온다는 것은 누군가를 가치 있게 만들어 준다는 것이다. 아른아른 취해 아지랑이 먼 하늘 황홀하게 우러르는 꽃들의 눈빛.

봄이 온다는 것은

아득히 누군가를 사랑한다는 것이다. 그리움만으로는 아무 것도 아닌 존재를, 그리움만으로는 그 무엇도 아닌 의미를 이제 내 것으로 만든다는 것이다. 이제 당신의 것으로 만든다는 것이다. 내가 곧 당신이 된다는 것이다. 사랑함으로서 비로소 내가 되는 나. 봄이 온다는 것은 아득히 누군가를 사랑한다는 것이다. 가지에 물오르듯 아아, 초록으로 번지는 이 슬픔.

랭군을 넘어서 Beyond Rangoon

아메리카를 좋아하는 딸아,

오늘만은 팝콘을 먹지 말아라.

버터 냄새가 물신 나는

튀밥,

입으로 듣는 팝송,

네가 지금 보고 있는 저것은

소웁 오페라가 아니다.

마카로니 웨스턴은 더욱 아니다.

자유란 시간을 죽일 수 있는 사람들의

미덕

시간을 죽이기 위하여 그들은

팝콘을 먹지만

감각을 달래기 위하여 그들은

팝송을 듣지만

너는 아직 아메리칸이 되기에는

멀다.

지금 화면에서 군홧화발에 짓밟히는 저 여자는
아웅산 수지,
줄리아 로버츠가 아니다.
너도 예전엔 자유를 위하여 거리로
뛰쳐 나간 적이 있지 않았니?
내 딸아,
오늘만은 팝콘을 먹지 말고 영화를 보아라.
너는 아메리칸이 아니다.

* 랭군을 넘어서Beyond Rangoon: 영화 제목. 버마 네윈의 군사독재를 고발한 미국의 영화로 최근 미국에서 인기를 얻고 있음. 랭군은 버마의 수도

** 아웅산 수지: 버마 민주화 투쟁의 영웅, 버마의 독립투사 아웅산의 딸.

*** 쥴리아 로버츠: 미국의 여배우.

**** 소읍 오페라soap opera: 눈물을 짜는 멜로드라마, 비누를 선전하는 광고의 후원으로 연속 상연되어 미국민적 인기를 얻은 TV의 한 드라마에서 연유된 말.

***** 마카로니 웨스턴: 서부영화의 한 종류.

아메리카를 좋아하는 딸아.

텔레비전을 너무 자주 보지 말아라. 우리의 텔레비전에는 아메리카의 방영물이 너무도 많다. 아메리카의 드라마는 모두가 코미디, 아메리카의 코미디가 너무나 많다. 텔레비전을 보면서 깔깔깔 웃는 너의 모습 너무나 천진하지만, 까르르 웃는 너의 모습은 너무나 아름답지만 이 세상은 웃기보다 우는 일이 더 많단다. 아메리칸이 보기엔 우는 일도 웃는 일, 그리하여 그들은 비극보다 희극을 좋아 한단다.

너도 미국에 가 보아서 알지. 미국의 텔레비전에서 방영하는 드라마가 온통 웃기는 화제라는 걸, 소읍 오페라soap opera가 간혹 없는 것은 아니지만 대개는 배꼽잡는 얘기라는 걸, 네가 좋아하는 그 「하버드의 공부 벌레」에서도 그렇지 않든? 별일도 아닌데 까르르 웃고, 날 일도 아닌데 와르르 웃고……. 너 새로 온 수학 선생 어때? 까르르……. 히틀러같이 생겼어 또 까르르……. 티 브이 스크린엔 온통 웃음꽃이 활짝 피지만 보는 내 눈엔 하나도 우습지가 않다. 아름답지가 않다.

「러브 스토리」를 좋아하는 딸아.

너도 미국에 가 보아서 알지, 거기 어디 러브 스토리가 있든? 거기 어디 알렉 시걸이 있든? 사람은 누구나 없는 것을 갖고 싶어하고 잃은 것을 그리워하는 법, 러브 스토리가 없으니 「러브 스토리」를 만든 것이 아니겠니? 웃다가 웃다가 지쳐서 청량제로 만든 거란다. 이제 너도 미국에 가 보아서 알지. 미국의 영웅은 코미디언이라는 걸, 시인도 작가도 아니고, 의사도 학자도 아니고……

웃을 일도 아닌데 우스워 죽는 것은 사는데 걱정이 없는 탓, 한반도의 북쪽 같은 기아 없는 탓, 발칸의 전쟁 같은 살육 없는 탓이란다. 버마의 네윈 같은 억압 없는 탓이란다. 르완다의 내전 같은 착취 없는 탓이란다. 전쟁은 항상 남의 일이고, 굶주림은 언제나 담 넘어 있고, 그렇다고 떼돈 벌어 부자될 가망 없고, 그렇다고 출세해 거드름 필 수 없고, 사는 것 항상 그 타령이니, 사는 것 항상 쳇바퀴 세상이니 웃기는 것 찾아서 웃기나 할까. 재미나 찾아서 심심풀이 할까.

아메리카를 좋아하는 딸아.

영화를 볼 때는 늘 좋아하는 팝콘, 거기 곁들인 캘리포니아산 아몬드, 오늘만은 먹지 말아라. 오늘만은 먹지 말고 영화를 보아라. 버터 냄새 물씬 나는 튀밥, 입으로 듣는 팝송, 그것은 생존을 위해서 먹는 것이 아닌 것, 아메리칸의 심심풀일 따름이다. 그러나 너는 지금 심심해서는 안 될 때, 시방 네가 보는 것은 소웁 오페라가 아니다. 마카로니 웨스턴은 더욱 아니다. 그것은 「랭군을 넘어서」, 버마 민중의 생존의 기록이다.

그러므로 아메리카를 좋아하는 나의 딸아. 오늘만큼은 팝콘을 먹지 말고 영화를 보아라. 너는 아직 아메리칸이 되기에는 멀다. 재미란 시간을 죽일 수 있는 사람들의 미덕, 시간을 죽이기 위하여 그들은 팝콘을 먹지만, 무료한 감각을 달래기 위하여 그들은 팝송을 듣지만 너에겐 지금 시간이 얼마나 긴요한가. 너에겐 지성이 얼마나 소중한가.

화면에서 군홧발에 짓밟히는 저 여자는 아웅산 수지, 줄리아 로버츠는 결코 아니다. 지금 화면에서 절규하는 저 남자는 네가 사랑해야 할 오빠 먼 이국의 청년이 아니다. 너도 예전엔 자유를 위해서, 인간다운 삶을 위해서 강의실을 뛰쳐나가지 않았니? 서울의 거리에서 절규하지 않았니? 그러므로 나의 딸아,

오늘만큼은 팝콘을 먹지 말고 영화를 보아라.

그리움에 지치거든

그리움에 지치거든
나의 사람아,
등꽃 푸른 그늘 아래 앉아
한 잔의 차를 들자.
들끓는 격정은 자고
지금은
평형平衡을 지키는 불의 물,
청자靑磁 다기茶器에 고인 하늘은
구름 한 점 없구나,
누가 사랑을 열병이라 했던가,
들뜬 꽃잎에 내리는 이슬처럼
마른 입술을 적시는 한 모금의 물.
기다림에 지치거든
나의 사람아,
등꽃 푸른 그늘 아래 앉아
한 잔의 차를 들자.

한 잔의 차를 마셔야 한다.

하늘을 마음에 넉넉히 담아두기 위해서는……, 뜨거운 태양 이글거리는 그 여름 한낮의 후끈거리는 하늘이 아니라 하얀 구름이 한가롭게 떠 있는 파아란 가을 하늘, 비 온 뒤 무지개 찬란히 걸려 있는 하늘이 아니라 빈 나뭇가지 끝에 앉아 기다리는 한 마리 까치에게 살며시 문을 열어주는 그 저녁 노을빛 하늘.

한 잔의 차를 마셔야 한다.

가슴에 넉넉한 호수를 담아두기 위해서는……. 봄바람에 일렁이는 그 갈맷빛 호수가 아니라 불타는 가을 단풍을 감싸 안아 잠재우는 그 잔잔한 호수, 흰 백조 어지럽게 내려 파문을 이는 호수가 아니라 밤이면 별들이 내려와 말갛게 몸을 씻는 호수.

그 한 잔의 차를 들기 위하여 물을 끓인다. 다구 앞에 꿇어 앉아 정성스럽게 찻잔에 물을 따른다. 뜨겁지도 차갑지도 않은 물, 그 위에 향긋한 작설 몇 잎을 띄운다. 파아란 가을 하늘에 흐르는 구름 한 점을, 잔잔한 호수에 어리는 별빛 한 줄기를……. 그리하여 당신께 바치는 이 한 잔의 차, 지금 내 가슴엔 격정에 휘말렸던 여름의 폭풍도 자고 그 겨울의 몰아치던 눈보라도 가신 지 오래, 다만 맑고 잔잔한 호수 하나 잠들어 있을 뿐이다.

그리움에 지친 사람아. 그 그리움 삭이려 지금 당신은 무엇을 하고 있는가. 술집 스탠드에 기대어 한 잔의 양주로 목을 적시고 있는가. 그러나 술로는 결코 그리움을 삭일 수 없다. 술은 타오르는 한 잔의 불꽃. 그리움은 태워서 사라질 병균 같은 것이 아니다.

그리움에 지친 사람아. 그 그리움 삭이려 지금 당신은 무엇을 하고 있는가. 잠 못 이루는 그 밤의 침대에 누워서 한 컵의 수면제로 신경을 달래고 있는가. 그 두려운 밤을 견디기 위하여 차라리 세계를 향한 창문들을 닫아버리려 하는가. 그러나 수면제는 감정을 얼리는 얼음 그리움은 얼려서 사라질 세균 같은 것은 아니다.

때로는 불로 타오르고 또 때로는 얼음처럼 싸늘하게 굳는 인간의 감정이란다. 그리하여 어떤 사람은 타는 장미의 불꽃에 몸을 맡기고 또 어떤 사람은 서릿발 싸늘한 칼날을 쥐기도 한다. 그러나 꽃을 보아라. 타버린 꽃은 불꽃이 재를 남기듯 시든 꽃잎만을 남기지 않던가. 당신은 꽃처럼 시들어서는 안 된다. 당신은 꺼져버린 재가 되어서는 안 된다. 얼음을 보아라. 굳어버린 바위에 금이 가듯 제 분에 못 이겨 파싹 깨지지 않던가. 당신은 얼음처럼 깨져서는 안 된다. 당신은 증오의 시선이 되어서는 안 된다.

그리움에 지치거든 나의 사람아. 등꽃 푸른 그늘 아래 앉아 한 잔의 차를 들자. 지금은 불과 얼음이 어울려 한가지로 꽃과 나무들을 빛어내는 그 생명의 계절, 들끓던 우리들의 격정도 이제 한 고비를 무사히 넘겼다. 누가 사랑을 열병이라 했던가. 이제 들뜬 꽃잎에 내리는 이슬처럼 우리들의 불타던 입술에도 한 모금 물을 적시자. 지금 찻잔에는 평형을 이룬 불의 물들이, 투명한 감정의 이슬들이 고여 있다.

한 잔의 차를 들자.

넉넉한 마음으로 찻잔에 고인 푸른 하늘을 마시자. 뜨거운 태양 이글거리는 그 여름 한낮의 후끈거리는 하늘이 아니라 하얀 구름이 한가롭게 떠 있는 파아란 가을 하늘, 비 온 뒤 무지개가 찬란하게 걸려 있는 하늘이 아니라 빈 나뭇가지 끝에 앉아 기다리는 한 마리 까치에게 살며시 문을 열어주는 그 저녁 노을빛 하늘. 기다림에 지치거든 나의 사람아, 등꽃 푸른 그늘 아래 앉아 한 잔의 차를 들자.

아득한 지상에서

압록강, 두만강에서
우리가 전력을 만들어 내듯
신神은 은하銀河를 막아
전기를 만들 것이다.
그의 스위치는 어디 있을까,
밤하늘을
일시에 밝히는 별들.
그러나 별은
하늘에만 있는 것은 아니다.
야간 비행을 해 본 자는
알리라.
아득한 지상에서
무수히 반짝이는 별들을,
인간은 누구나
가슴에 하나씩 별을 안고 산다.
흐르는 물이 모여서

지상의 꽃들을 환히 불 밝히듯
가슴에서 가슴으로 흐르는 전류,
지금은 밤이다. 사랑하는 이여,
어두운 내 방에 스위치를 넣어 다오.
나도 이제는 하나의
어둠속을 타오르는 별이
되고 싶다.

사람들은 말한다. 별은 하늘에 있는 것이라고. 낮에 뜨는 것이 아니라고. 반짝반짝 빛나는 것만이 별이라고…… 그러나 야간 비행을 해 본 사람은 알리라. 별은 이 지상에도 있다는 것을, 이 지상에서도 반짝반짝 빛나는 것이 있다는 것을.

9만 피트 깜깜한 상공에서 내려다 본 지상에는 희미하게 빛나는 등불들, 어떤 것은 밤새워 수학 문제를 풀고 있는 대학 입시생의 머리맡에서 빛나고, 어떤 것은 야간 조업에 지쳐 깜박깜박 조으는 노동자의 작업장에서 빛나고, 어떤 것은 임종을 지켜보는 간호사의 병실에서 빛난다. 세상은 지금 바람이 불고 어두움에 휩싸이기 시작하는데 멀리 가물가물 등불 하나 두고 살아가는 사람들이 있다.

지상에서나 하늘에서나 멀리 있는 것은 별이 된다. 멀리 있어서 아름다운 것은, 멀리 있어서 갖고 싶은 것은, 멀리 있어서 슬펴지는 것은…… 오늘도 나는 창가에 앉아 멀리 있는 그에게 편지를 쓴다. 도달할 길 없는 편지를, 도달할 길 없어 아예 바람결에 날려버릴 편지를 쓰는 그런 나를 두고 사람들은 시인이라고 한다. 오늘도 그는 무대에 올라 멀리 있는 그에게 손짓을 한다. 응답이 없는 손짓을, 날 수 없는 비상을 흉내 내는 그런 그를 두고 사람들은 광대라 한다. 오늘도 당신은 연필을 들고 멀리 있는 그의 얼굴을 그린다. 흐릿해서 기억하지 못하는, 그리하여 다만 상상으로 보는 그런 당신을 두고 사람들은 화가라 한다.

나는 답장을 받았는가. 가을 하늘에는 스산하게 바람이 불고 어디선가 가랑잎 하나 쏠려와 내 창가에 내리는데 나는 답장을 받았는가. 그는 응답을 받았는가. 막이 내리는 객석에서는 불이 꺼지고 박수 소리 요란하게 들리는데 그는 응답을 받았는가. 당신은 그를 보았는가. 화폭에는 쓸쓸한 당신의 옆 얼굴 하나 비치고 있는데 당신은 그를 보았는가. 아니 우리는 그를 보았는가.

별은 보여도 보이지 않는 것. 보아서 보이는 것은 이미 별이 아니다. 여러분들은 아마도 그런 경험이 있을 것이다. 아무리 떠올리려 해도 떠올릴 수 없을 때의 사랑하는 이의 얼굴을, 지금 막 헤어지고 돌아와 자리에 누워서 아무리 그녀의 얼굴을 그려보려 해도 눈에 잡히지 않을 때의 그 안타까움을…… 여러분들은 한번쯤 그런 기억을 가지고 있을 것이다. 혜화동 분수 곁을 재잘거리며 걸어가는 발랄한 한 떼의 처녀들 속에, 종로 극장가에서 지금 막 영화를 보고 쏟아져 나오는 한 무리의 소녀들 속에 그녀의 뒷모습을 본 것 같아 뒤따라 가본 적이 있었던 그런 기억을…… 보아서 보이지 않는 까닭에 그러므로 또한 보이지 않으면서도 보이는 그것이 별이다.

어느 봄날 이른 새벽에 반짝이는 별 하나를 보았다. 흰 파도가 잔잔하게 밀려오는 어느 바닷가 모래밭에서…… 스러져 가는 서쪽 하늘의 별들 가운데 유독 밝게 빛나는 별 하나를, 떠오르는 태양과 맞서 그 최후의 일순까지 장렬하게 불태우는 그 별 하나를. 그때 만일 그 별을 보았다면 당신은 설령 세상과 결별하기 위하여 이곳에 왔다 하더라도 결코 그 생각을 고집할 수 없었을 것이다. 당신은 무엇을 보았는가. 당신은 거기서 당신의 얼굴을 본 것이다. 멀리서 손짓하는 하나의 별을, 당신의 안에 든 그 별을,

사람들은 말한다. 별은 하늘에 있는 것이라고. 낮에 뜨는 것이 아니라고, 반짝반짝 빛나는 것만이 별이라고…… 그러나 야간비행을 해 본 사람은 알리라. 별은 이 지상에도 있다는 것을, 이 지상에서도 반짝반짝 빛나는 것이 있다는 것을.

낙엽

이제는 더 이상
느낌표도 물음표도 없다.
찍어야 할
마침표 하나.

다함 없는 진실의
아낌없이 바쳐 쓴 한 줄의 시가
드디어 마침표를 기다리듯
나무는 지금 까마득히 높은 존재의 벼랑에
서 있다.

최선을 다하고
고개 숙여 기다리는 자의 빈손은
얼마나 아름다운가,
빛과 향으로
이제는 신神이 채워야 할 그의 공간,

생애를 바쳐 피워올린
꽃과 잎을 버리고 나무는
마침내
하늘을 향해 선다.

여백을 둔 채
긴 문장의 마지막 단어에 찍는
피어리어드.

최선을 다한다는 것은 아름다운 일이다.

혼신을 기울여 노래하는 가수의 저 애잔한 모습은 아름답다. 카르멘의 아리아, 그녀는 가슴에 연인의 칼을 받으면서도 모든 슬픔과 고통을 바쳐 마지막 아리아를 부른다. 지상의 가장 높은 목소리를 내기 위하여, 한 소절의 악보에 그의 전생애를 싣기 위하여 마침내 마지막 숨까지도 거둔다. 그네의 붉게 상기된 얼굴, 파아랗게 부풀어 오른 목의 심줄, 그의 꿈꾸는 눈동자. 허공을 안은 두 팔, 한 가지 일에 모든 것을 걸어 다 바친다는 것은 설령 아름답지 않더라도 아름다운 일이다.

최선을 다한다는 것은 아름다운 일이다.

온 정성을 다해 머리를 매만지는 이발사의 손길은 아름답다.

아무 잡념 없이 그는 다만 손님의 머리를 손질하는 일에만 온 노력을 기울인다. 한 올 한 올 머리카락을 세고 자르고, 다듬고, 빗질해서 마침내 한개 작품으로 빚어 놓는 그 진지성, 아무도 생각지 않는 아이디어와 아무도 시도하지 않은 디자인으로 오직 자신만의 스타일을 일구어낸 그 창의성, 그는 항상 거울에 비친 자신의 삶을 성찰하면서 그의 전생애를 오로지 이발에 담는다.

최선을 다한다는 것은 아름다운 일이다.

힘든 밭갈이를 하다가 잠깐 쉬는 동안, 허리를 펴서 손등으로 이마의 땀방울을 닦는 농부의 저 거칠어진 얼굴은 아름답다. 아직은 다만 맨땅의 말라붙은 흙더미에 지나지 않지만, 아직은 눈에 드는 수확이 아무 것도 없지만, 살랑거리는 봄바람과 훈훈한 태양의 사랑을 굳게 믿는 농부는 다만 황무지에 나가 하나의 생명을 기르기 위하여, 그 생명, 목숨 다하도록 소중히 가꾸기 위하여 전생애를 바친다. 사심 없이 한 가지 일에만 온 정성을 기울일 수 있다는 것은 아름답다.

실험실에서 날을 지새버린 물리학 교수의 더부룩한 수염, 하루 종일 중환자실을 지킨 간호사의 까칠한 얼굴, 단어 하나를 생각하다가 꼬박 날을 밝힌 시인의 매마른 입술, 온 힘을 다해 물에 빠진 소년을 밖으로 밀어내 구출하고 기진해버린 청년의 가쁜 숨결, 비록 꼴찌이기는 하나 전코스를 쉬임 없이 달려 쓰러질듯 골인하는 늙은 마라토너, 수재의 하얀 노트에 흘린 코피, 이 모든 것들은 아름답다.

인간만이 아니다. 수만 리 바다를 헤엄쳐 돌아온 연어가 그 태어난 강기슭을 찾아와 알을 낳고 죽는 모습은, 죽어서 자신의 육신을 다른 짐승들의 먹이로 공양하는 그 절대의 헌신은 실로 우주적인 아름다움이라 하지 않을 수 없다. 바람에 날리는 민들레 씨앗이 척박한 땅은 척박한 대로, 황량한 돌밭은 황량한 대로 뿌리를 내려 불평 없이 한 생애를 꽃 피운다는 것, 한 쌍의 까치가 미루나무 작은 가지 위에 날렵한 둥지를 짓고 여린 새끼들과 함께 그 모진 겨울의 추위를 이겨 새 봄을 맞이한다는 것 또한 눈물겹도록 아름답다.

최선을 다한다는 것은 아름다운 일이다.

겨울 나목을 보아라. 사람들은 황량하다 하지만 그것은 최선을 다한 뒤 고개 숙여 기다리는 자의 순결한 모습, 나무는 평생을 키워올린 과실을 바치고 마침내 잎새조차 버린 채 하늘을 우러르고 있다. 그의 생애는 참으로 다난했지만, 그의 삶은 참으로 고달팠지만 나무는 더 이상 다다를 수 없는 존재의 높이에 이르러 다만 하늘의 긍휼을 기다리고 있을 뿐이다. 최선을 다하고 고개 숙여 기다리는 자의 빈손은 얼마나 아름다운가. 이제는 빛과 향으로 신이 채워야 할 그의 공간.

겨울 일기

틀에 끼인
한 장의 사진 속에 평안이 있다.

아내의 싱싱한 머리카락 사이에
여름 햇빛들이 수런대고
철없는 어린것이 물장난을 치고

액자 옆에는 시들어 버린 꽃, 또는
고개를 숙인 인형
고개를 숙이고 바라보는 해안엔
어부가 호올로 그물을 깁는다.

찢어진 생활의 한 컷을 넘기면서
1971年 1월 4일,
날씨, 흐리다.
온종일 라디오를 들으며

편지를 쓰고 찢었다.

얼어붙은 시간의 저쪽에서
철없는 어린것이 물장난을 치고
생애의 슬픔을 건너온 바닷바람이
흰 거품을 밀어 올린다.

틀에 끼인 한 장의 사진,
그 속의 평화,
그 속에 잠든 아내의 얼굴,
흰 파도에 부서지는
여름이 보였다.

잠 못 이루던 밤이 있었을 것이다. 잠을 이루지 못해 온 밤을 뒤척이면서 샌 적이 있었을 것이다. 아무리 애를 써도 잠들지 못해 초조한 마음으로 빈 방 안을 바장이던 적이 있었을 것이다. 일어나 창문을 열고 어두운 밤하늘을 바라다 본 적이 있었을 것이다. 아, 보석같이 찬란하게 반짝이던 밤하늘의 별들.

잠 못 드는 밤을 당신은 어떻게 보냈던가.

아마 낡은 사진첩을 뒤적인 적도 있었으리라. 뒷면에 1971년 1월 4일이라고 쓰인 빛 바랜 사진 한 장. 통속 영화의 흑백 영상 같은……, 그러나 그것은 틀에 끼인 한 장면의 평안이었다. 햇빛이 밝게 쏟아지던 동해 어느 포구였던가. 울진 근처의 어느 해변, 아내의 싱싱한 머리카락 사이에 여름 햇빛들이 수런대고 철없는 어린것이 물장난을 치고…….

고개를 숙이고 바라보는 해안엔 어부가 호올로 그물을 깁고 있다. 그 뒤로 하얗게 부서지는 파도. 생애의 슬픔을 건너온 바닷바람이 흰 거품을 밀어올리고, 얼어붙은 시간의 저쪽에서 철없는 어린것이 물장난을 치고, 그 곁에 티 없이 웃고 서 있는 아내의 얼굴. 그 평안. 그러나 시방 탁자 위에는 시들어버린 꽃다발 하나 딩굴고 있다. 고개 숙인 인형 하나 물끄러미 사진을 들여다 보고 있다.

잠 못 드는 밤을 당신은 또 어떻게 보냈던가. 아마도 낡은 서가를 뒤져 젊은 날, 가슴에 품고 다녔던 시집 한 권을 꺼내 들었을 것이다. 그녀를 만나던 그때 당신은 그로하여 얼마나 슬프고 외로웠던가. 얼마나 아프고 애달펐던가. 그 시절에 펼치던 그 시집 한 권, 거기엔 이런 말들이 적혀 있었다. "꽃들은 별들을 우러르며 산다. 강물은 흰 구름을 우러르며 산다." 당신으로 인해 애타던 그때 이 한마디 말은 얼마나 위안을 얻었던가. 거기에는 또 이런 말도 적혀 있었다. "멀리 있는 것은 아름답다. 무지개나 별이나 벼랑에 피는 꽃이나 멀리 있는 것은 손에 닿을 수 없는 까닭에 아름답다" 당신으로 하여 절망에 빠졌있을 때 이 한마디 말은 또 얼마나 내 영혼의 등불을 밝혀주었던가.

그러나 당신과 헤어진 후 나는 어찌 되었는가. 지금까지 한번도 나는 그 시집을 꺼내 본 적이 없었다. 펼쳐본 적도 없었다. 더 이상 아름다움에 대해서, 사랑에 대해서, 꿈에 대해서도……. 머리로는 전략을 짜고, 손으로는 컴퓨터를 치고, 입으로는 거래선을 다독이는 한 세상을 살아왔다. 그냥 그렇게 살았다. 녹슨 태양이 마른 비듬처럼 햇빛을 떨어뜨리는 날, 목마른 바람이 싱그러운 능금나무 잎을 흔드는 날, 다만 청춘처럼 헝클어진 머리카락을 쓸어넘기며 한 잔의 쓰디 쓴 소주를 들이켰을 뿐이다. 먼 도시에서 들려오는 팝송을 라디오로 들으면서 한밤의 안식을 꿈꾸었을 뿐이다.

그러나 잠 못 이루는 밤의 고통을 못 견뎌 하지 마라. 불면은 질병이 아닌 것, 잠이 오지 않는 까닭에, 밤이 긴 까닭에 아름다웠던 옛날의 사진첩도, 가슴 설레던 옛 사랑의 시집도 꺼내들지 않았는가. 잊혀진 당신의 얼굴을 되돌려 볼 수 있지 않았는가. 잠들지 못하는 건 당신만이 아니다. 바닷가에 가 보아라. 잠들지 못하는 건 파도다. 부서지면서 부서지면서 가득히 차오르는 수평선, 들녘에 가 보아라. 잠들지 못하는 건 바람이다. 흔들어서 흔들어서 깨워내는 잎새들, 잠들지 못하는 건 별이다. 빛나면서 한가지로 지키는 어두움.

잠 못 드는 밤엔 창 밖 저 먼 하늘을 바라보자.

거기 찬란하게 반짝이는 별, 깨어 물끄러미 나를 바라보는 외로운 눈망울이 있다. 잠들지 못한, 아름다운 영혼들이 있다.

겨울 목련

여미는 옷깃 안에
뜨거운 심장이 있듯
겨울은
차라리 불덩이를 안은 계절이다.
밖이 추울수록 보다 따뜻해야 할
우리들의 방,
우리들의 내연內燃,
생명은 항상 안에서만 타오른다.
잎 지면서 이내 새순을 안는
겨울 목련을 보아라.
역사가 밤에 이루어지듯
생명은 겨울에 태어나는 것,
봄에 터뜨리는 꽃망울은 단지 그의
화려한 의상일 뿐이다.
밖이 추울수록
안으로 안으로 연소하는 겨울은 차라리

따뜻한 계절.

새해다. 아직 바깥 바람은 차고 얼어붙은 대지는 삭막하기 그지없지만 커튼 새로 쏟아지는 햇빛은 밝고 따사롭다. 어제까지만 해도 그렇지 않았는데, 어제까지만 해도 하늘은 음산하고 햇빛은 싸늘했던 것 같은데 오늘 이렇게 달라졌구나. 어제와 오늘, 송년과 신년……. 그 하루만의 조화가 경이롭기만 하다.

부신 햇살에 취해 커튼을 걷고 창문을 활짝 열어본다. 오늘따라 뜰의 나목들이 한결 정겹다. 비록 웅크리고 서 있기는 하지만 모두들 제자리에서 용케도 추위를 견뎌내고 있는 모습들이다. 내가 잊고 있는 동안에도, 내가 외면한 그 혹독한 추위에도 그들은 이렇게 제자리를 지키며 살아 있었구나. 저기 저 대문 옆 개집 가에 버티고 있는 것은 늙은 대추나무, 그 건너 뒷집 축대를 의지하고 있는 것은 라일락, 그리고 거실 유리창 옆으로 담과 마주하여 서 있는 것은 백목련. 아아. 밤을 거두듯 찬란하게 등불을 켜 들고 해마다 겨울의 어둠을 내몰던 저 새봄의 파수꾼, 목련.

가만히 들여다 보니 목련의 빈 가지에는 벌써 수많은 꽃봉오리들이 주렁주렁 매달려 있다. 아직 무르익지는 않았으나 부풀어 있는 모양이 흡사 처녀의 젖망울 같다. 잎이 진 후 맞닥뜨린 것은 혹독한 추위와 바람뿐이었는데, 오로지 죽음의 음습한 어둠뿐이었는데 언제 이처럼 생명의 싹을 기른 것일까. 그러나 묻지 마라. 그것이 언제인가를 묻는 자는 겨울의 참다운 의미를 아직도 깨닫지 못한 사람, 희망의 어머니가 실은 절망이라는 사실을 모르는 사람이다. 희망이란 절망을 먹고 자라는 나무라는 것을……

흔히 겨울은 죽음의 계절이고 봄은 생명의 계절이라고 말한다. 겨울의 나목과 봄의 화려한 꽃들만을 보는 사람들에게는 그렇게 비칠 것이다. 그러나 겨울 들녁에 가 보아라. 가서 외면이 아닌 내면을, 현상이 아닌 실재를 들여다 보아라. 나무들의 말라붙은 껍질 속을 흐르는 푸른 수액과 추운 하늘을 향해 곧추선 가지들의 부릅뜬 눈과 동토에 내린 뿌리들의 아픔을……. 그렇다면 여러분들은 결코 겨울의 죽음을 이야기하지 않을 것이다. 아니 오히려 겨울이야말로 생명이 약동하는 계절, 세계를 창조하는 계절이라 말할 것이다.

목련의 새 꽃봉오리는 겨울에 만들어진다. 라일락의 꽃봉오리는, 백합의 꽃봉오리는, 장미의 꽃봉오리는 아니 이 세상의 모든 살아 있는 것들의 꽃봉오리는 겨울에 만들어진다. 살을 에이는 추위 속에서, 온 대지를 휘몰아치는 눈보라 속에서, 불타는 한 방울의 눈물, 저 존재의 찬란한 불빛은 차오르는 것이다. 그러므로 이제 여러분들은 봄의 아름다움을 노래하기 전에, 먼저 겨울의 아픔에 대하여 이야기하여야 한다. 겨울이 어떻게 스스로를 헌신하여 사랑과 화해와 용서의 참회 어린 날들을 보냈는가. 그리하여 어떻게 자기 소멸을 통해 이처럼 아름답게 거듭날 수 있었던 것인가를.

죽음은 아름답다. 모든 갈등과 원망과 미움을 불살라 한 줌의 재로 날려보내기에 아름답다. 죽음은 아름답다. 모든 실패와 좌절과 연민을 원점으로 돌려보내기에 아름답다. 죽음은 아름답다. 모든 편견과 자만과 소유를 무화시키기에 아름답다. 그러나 그 무엇에 앞서서 우리가 죽음을 아름답게 생각하는 것은 그것이 새로운 출발 그 자체라는 점이다. 우리의 겨울이 겪는 죽음, 자연이 가르치는 죽음은 단지 허무하게 사라지는 것이 아니다. 그것은 사랑과 화해와 용서로 거듭나는 생, 그리하여 새로운 각오로 다시 일어서는 삶이다. 그러므로 진정한 죽음은 바로 삶 그 자체인 것.

뜰의 헐벗은 목련 가지에 수줍은 듯 부풀어 오르는 꽃망울들을 보아라. 아직 봄은 오지 않았건만 내연하는 생명의 불씨는 따뜻하다. 이제 서두르지 말고 기다리자. 우리 모두에게 돌아올 영광의 봄을, 그 찬란한 꽃봉오리들의 개화를.

지상의 양식

너희들의 비상은
추락을 위해 있는 것이다.
새여,
알에서 깨어나
막, 은빛 날개를 퍼덕일 때
너희는 하늘만이 진실이라 믿지만,
하늘만이 자유라고 믿지만
자유가 얼마나 큰 절망인가는
비상을 해 보지 않고서는 모른다.
진흙밭에 딩구는
낱알 몇 톨,
너희가 꿈꾸는 양식은
이 지상에만 있을 뿐이다.
새여,
모순의 새여,

위로 오른다고 말한다.

위로 위로 오르는 것은 좋은 것, 기쁜 것, 보람 찬 것, 바라는 것, 그리고 가치 있는 것, 그래서 위로 위로 오르려고 한다. 1학년에서 2학년으로, 2학년에서 3학년으로, 중학교에서 고등학교로, 고등학교에서 대학교로 상급 학년에 혹은 상급 학교에 진학했다고 한다. 과장에서 부장으로 부장에서 이사로 승진했다고 한다. 3등에서 2등으로, 2등에서 1등으로 성적이 향상되었다고 한다. 100만 원에서 200만 원으로 200만 원에서 300백만 원으로 봉급이 올랐다고 한다.

위에 있다고 말한다.

희망은, 꿈은, 행복은, 그리고 목표는……. 그리하여 동해의 떠오르는 해를 희망이라 하지 않던가. 무지개 같은 꿈이라 하지 않던가. 목표를 높이 두라고 하지 않던가. 대중의 우상은 하늘에서 반짝반짝 빛나는 별, 스타라 하지 않던가. 아니 천국은 하늘에 있다고 하지 않던가. 대체 높은 곳에는 무엇이 있는가. 높이 높이 도달하면 무엇이 있길래 우리를 행복하게 하는가.

나무는 위로 위로 자란다. 흙에 묻힌 한 알의 씨앗은 발아하면서 최초로 맑은 하늘을 바라본다. 그리고 그 하늘을 향해 조금씩 조금씩 키를 늘린다. 그 밑둥을, 줄기를, 가지를, 태양을 향해 뻗친다. 아. 그 부단한 향일성, 그리하여 나무는 가장 높은 곳을 향하여 일제히 잎새들을 피워올린다. 마치 태양을 가슴에 안으려는 듯, 태양을 온전히 제 것으로 소유하려는 듯…….

꽃들은 위로 위로 고개를 쳐든다. 땅 위에서 피는 꽃이든, 물 위에서 피는 꽃이든, 낮에 피는 꽃이든 밤에 피는 꽃이든……. 타오르는 하나의 불꽃처럼 위로 위로 얼굴을 내밀고자 한다. 그리하여 마침내 더 이상 오를 수 없을 때 그 무거운 눈까풀을 열어 하늘을 바라본다. 아. 그 뜨거운 정념의 시선, 마치 별들을 가슴에 안으려는 듯, 별들을 온전히 제 것으로 소유하기나 하려는 듯…….

새들은 위로 위로 날고자 한다. 지상에 둥지를 튼 새든, 절벽에 둥지를 튼 새든, 나무에 둥지를 튼 새든 새는 가지를 차고 올라 높이 높이 솟고자 한다. 바람의 길을 따라서, 구름의 길을 따라서 항상 비상을 꿈꾸는 새, 그리하여 새는 더 이상 높이 오르지 못할 때 가지 끝에 앉아 가만히 하늘을 들여다 본다. 하늘 문이 열리기를 기다린다. 마치 하늘을 제 것으로 온전히 소유하기나 하려는 듯…….

심지어 아래로 아래로 흐르는 물조차 그렇지 않던가. 하늘로 오르기 위해 호수에서, 바다에서 끝없이 몸부림치던 물, 그리하여 포말을 허공중에 뿌려야만 편안하게 잠들 수 있는 물, 그러나 도저히 위로 오르기를 포기할 수 없을 때 물들은 안개를 피워올린다. 아, 그 꿈꾸는 휘발성. 물은 마침내 구름이 된다.

그러나 나무들이여, 태양을 조심하여라. 꽃들이여, 태양은 그 누구에게도 자신을 소유하기를 허락지 않는다. 분수 없이 태양을 가까이한다는 것은 죽음을 의미하는 것, 태양은 누구도 관대히 받아들이지 않는다. 설령 자신을 사랑하는 자라 할지라도…… 태양을 가까이하다 화상을 입은 꽃들을 보아라. 잎새들을 보아라. 그들은 결국 시들어 땅에 떨어지지 않던가. 그들이 받아 먹는 이슬은, 수액은 이 지상에 있는 것이 아니던가. 항상 비상을 꿈꾸는 새들이여, 봄날 보리밭 위를 날아 올라 푸른 하늘로, 푸른 하늘로, 치솟는 한 마리 종달새여, 독수리여, 하늘을 믿지 마라. 하늘을 자유의 공간으로 믿지 마라. 하늘은 하나의 허공, 하나의 허무, 하나의 허상, 네가 찾는 양식은 오직 지상에만 있을 뿐이다.

그러므로 나무여, 꽃이여, 새여, 파도여…… 더 이상 비상을 꿈꾸지 마라, 비상은 항상 추락을 위해 있는 것. 너희들은 하늘만이, 태양만이, 별빛만이 진실이라 믿지만, 자유라고 믿지만 자유가 얼마나 큰 절망인지도 이제는 알아야 한다.

봄날

봄날,
지표地表로 솟아나는 새싹은
불꽃이다.
흙 속에서
겨우내 지열地熱로 달아오른 밀알들이
일시에 터트리는 폭발.
신들의 성냥개비다.
자유를 절규하는
목숨들을 보아라,
압제의 윤리는 배신인 것을,
흙 속에 갇혀
자유를 꿈꾸는 밀알들의 음모.
그것은 끝없는 방화다.
7월의 보리밭에서 지르는 불.
새싹이여,
인간은

불을 먹고 사는 짐승이다.

불은 타오르는 용광로에 있는 것만은 아니다.

돌멩이를, 쇠붙이를, 원석을 뜨겁게 녹여 물로 만드는 불, 손을 대면 치명적으로 화상을 입히는 불, 활활 타오르는 불, 그러나 불은 제철소의 용광로에 있는 것만은 아니다. 한 마리의 호랑이를 보아라. 여린 사슴을 노리는 그 불타는 눈, 이글거리는 시선, 쥐를 노리는 고양이의 눈을 보아라. 뜨겁게 끓는 가슴속의 용광로에서 맹렬하게 솟구쳐 올라와 두 눈에 이글거리는 그 쇳물을 보아라.

그것만이 아니다. 6월, 푸르게 우거진 숲 속을 가면 거기에도 불은 있는 것. 그리고 여러분은 알게 되리라. 불은 항상 붉게 타오르지만은 않는다는 것을, 녹음도 지치면 푸르게 타오르는 불길이 된다는 것을……. 6월의 숲 속을 간다. 숨 막힐 듯 숨 막힐 듯 푸른 연기 헤치며 꽃향기 좇아 숲길을 간다. 너를 만나러 간다. 아, 그러나 끝내 불길 속에서 질식해버렸던 우리들의 젊은 날, 푸르게 멍든 가슴속의 화상火傷.

빛은 밝게 비추는 램프 속에 있는 것만은 아니다.

동백 기름에, 석유에 심지를 내려서 태우는 등불, 전류를 합선시켜 밝히는 등불, 네온등, 수은등, 형광등, 할로겐등……직시하면 때로 시력을 잃게 하는 그 강렬한 빛, 그러나 빛은 밤하늘을 밝히는 램프에 있는 것만은 아니다. 집 안에 들면 꽃들이 환하게 등불을 밝히고 있다. 방 안엔 한 그루의 난초가. 정원엔 한 그루의 튤립이……. 들을 보아라. 대지를 밝히는 것은 태양이 아니다. 수없이 매달린 과목의 과일들, 가지에 높이 매달린 오렌지는, 바람에 흔들리는 레몬은, 붉은 사과는, 파열하는 석류는 모두가 대지를 밝히는 등불들인 것을.

한 송이 꽃을 보아라. 뜰을 불 밝히는 그 한 송이 장미도 등불이다. 장미가 내쏘는 강렬한 빛에 눈먼 내 시력을 보아라. 장미는 가시로 승부를 거는 것이 아니라 가시로 상처를 입히는 것이 아니라 실은 빛으로 상대의 눈을 멀게 하는 것. 철없이 꺾으려 해서는 안 된다. 철없이 다가가서는 안 된다. 젊은 날 그녀에게서 입은 내 눈의 상처는, 내 잃어버린 시력은 아직도 회복되지 않았다. 모든 아름다운 것들은 빛을 가진 것이다. 독보다 더 황홀하게 아름다운 빛, 강렬하게 타오르는 빛을, 그리하여 그들은 차가운 이성을 녹여내린다.

폭발은, 그 작열하는 섬광은 폭약에게 있는 것만은 아니다.

채석장의 발파공에서, 광산의 막장에서, 지하의 핵 실험장에서, 증오하는 자를 겨눈 총구에서 터지는 일순의 섬광, 일순의 고열, 그리고 일순의 그 위험한 파열, 폭발은 항상 폭약 속에 잠재하고 있는 것만은 아니다. 한 알의 씨앗도 폭약이다. 꽃씨든 과일의 씨든 나무의 씨든 씨앗은 어느 때인가 폭발한다. 봄날, 지표를 뚫고 솟아오르는 흙 속의 씨앗들을 보아라. 바위 속의 발파공에 재워 둔 폭약처럼 그들도 흙 속에서 폭발하지 않던가. 일순의 섬광과 고온, 그리고 파열하는 흙의 파편들 속에서 하나의 뜨거운 생명, 새순을 움틔우지 않던가.

나무는, 꽃들은 아니 이 지상의 생명들은 각각 타오르는 불꽃들이다. 뜨겁게 끓는 용광로다. 밝게 비추는 등불이다. 그들은 대지에 묻힌 불을 받아 먹고 산다. 지표를 넘어 지층에서, 지층을 넘어 지심에서 뜨겁게 끓어오르는 저 거대한 용암의 바다. 그 불의 물로 등불을 켜고 생명을 기른다. 그 용암의 불로 살고 또 죽는다. 사랑과 증오가 그렇듯 무엇이나 평형을 지켜서 얻는 안식과 깨져서 부르는 죽음. 그러므로 나무여, 꽃이여 이 지상의 생명들이여, 가슴에 불을 지나치게 가지려 하지 마라. 달아오르도록 두 눈에 등불을 켜려고 하지 마라.

봄날, 지표를 뚫고 솟아오르는 새싹이 하나의 불꽃인 것처럼 인간도 불을 먹고 사는 동물이다. 가슴에 불을 지닌 동물이다.

연기

지귀志鬼가
사랑에 못 이겨
스스로 자신을 불살랐을 때
그의 몸에서도 연기가 피어났을까,
이 지상의
가장 확실한 존재는 연기다.
그것이 칼이든 방패든
혹은 재물이든 옷이든 무엇이나
태우면 연기가 된다.
연기가 되어 비로소 자유를 얻은
이 지상의 존재,
땅에 뿌리를 박고 있지만
하늘과 당당히 맞선 저 굴뚝을 보아라,
그는 나무처럼
지상으로 꽃잎을 떨어뜨리지 않는다.
검든 희든

모락모락 하늘을 향해 토해내는 연기,
무엇이나 깨진 것은 흙으로 가지만
불탄 것은 이 지상을 초월한다.
그러므로 사랑이여,
네 뜨거운 열정에 스스로 몸을 불사를지언정
우리 결코
깨지지는 말자.

물 같은 이성이라고 하지만,

물은 물이로되 끓은 물은 증기라 하고 언 물은 얼음이라고 한다. 물은 적당한 온도에서만이 마실 수 있다. 적당히 찬물에서 고기들이 놀고, 적당히 찬물에서 작물들이 자라고, 적당히 찬물이 타오르는 불길을 끌 수 있다. 증발해서 허공에 떠도는 증기가 대지의 목마름을 모르듯, 관념에 도취된 생각은 현실의 한계를 모른다. 얼어붙은 대지가 추위를 모르듯, 독단에 치우친 생각은 현실의 고달픔을 모른다. 그런데 당신은 시방 얼음이 되려 한다. 허공으로, 허공으로 피어오르는 증기가 되려 한다.

산山 같은 감성이라고 하지만,

산은 산이로되 숲이 없는 산은 민둥산, 바위뿐인 산은 악산惡山이라고 한다. 산은 적당히 숲이 우거지고 꽃들이 피어 있어야 산이다. 적당히 숲이 우거져 있어야 새들과 짐승들을 기를 수 있는 것이다. 바위뿐인 산이 깊은 벼랑을 만들듯 자폐적인 감정은 정신을 가두어 놓는다. 삭막한 민둥산이 장마에 산사태를 일으키듯 결핍된 정서는 폭력을 부른다. 그런데 시방 당신은 화전火田을 일군다고 숲들을 모두 베어내고 있다. 언덕을 마구 파헤치고 있다.

한 잔의 차 같은 이성이라고 하지만,

적당히 찻물이 우러나오지 않는 것은 차가 아니다. 은은하게 우러나오는 향기가 배어 있지 않다면……. 맑은 하늘에 잔잔히 떠가는 흰 구름이 하나 있듯 찻잎 한두 개 떠 있지 않은 물은 차가 아니다. 차를 마신다는 것은 하늘을 마신다는 것. 찻잔에 담겨지지 않은 차가 하늘을 담을 수 없듯 하늘에 자신의 모습을 비쳐 보지 못한 이성은 이성이 아니다. 찻잎을 입으로 훌훌 불어 향기를 들이마시듯 삶의 향기를 맛보지 못한 이성은 이성이 아니다. 그런데 시방 당신은 성급하게 갈증을 풀려 하고 있다. 냉수를 사발째 벌컥벌컥 들려고 한다.

한 잔의 술 같은 감성이라고 하지만,

술은 적당히 마셔야 술이다. 적당히 마셔야 얼어붙은 가슴을 훈훈히 녹일 수 있다. 적당히 마셔야 온돌처럼 마음을 따뜻하게 달굴 수 있다. 문을 열고 당신을 맞아들일 그 따뜻한 방, 밤새워 아름다운 꿈을 꿀 수 있는 방. 술이란 불타는 물, 지나치게 마시면 불살라 재를 만든다. 지귀志鬼를 보아라. 여왕을 사랑하다 못내 스스로 불타버린 신라新羅 청년 지귀. 그런데 당신은 시방 불

타려 하고 있다. 술잔을 엎지르듯 세상을 뒤집으려 하고 있다.

이성 같은 칼이라 하지만,

무디면 차라리 사용하지 않을 수도 있을 것이다. 그러나 지나치게 날이 선 칼은 상처를 입힌다. 지나치게 뾰족한 칼끝은 폐부 깊숙이 박힌다. 함부로 휘두르지 마라. 환부를 도려내는 수술용 칼도 분별없이 내두를 땐 무기가 된다. 흉기가 된다. 지나치게 날이 선 칼이 생살을 베듯, 분별없이 내두르는 칼이 무기가 되듯 이념으로 무장된 이성은 이성이 아니다. 이미 도구로 전락한 이성은 이성이 아니다. 그런데 시방 당신은 아무 데서나 칼을 휘두르려 하고 있다.

감성 같은 약이라 하지만

약은 적당히 써야 약이다. 지나치게 사용하면 독이 된다. 약에도 독약과 마약이 있는 것, 마약에 취해서 보는 저 황홀한 세상은 당신이 꿈꾸는 현실이 아니다. 마약에 취해서 보이는 저 황홀한 세계가 실제의 삶이 아니듯 환상에 사로잡힌 아름다움은 퇴폐일 뿐. 그런데 시방 당신은 달콤한 마약을 아직 뿌리치지 못하고 있다.

물 같은 이성이라고, 산 같은 감성이라고 하지 마라. 산은 물을 감싸야 산, 또한 물은 산을 휘돌아야 물인 것이다.

나팔꽃

땅이 아니라
아스팔트 위에서 피는 꽃도 있다.
어깨와 어깨를 메고
팔과 팔을 엮어
와와! 바리케이드를 넘는
그 향일성向日性,
넝쿨들의 부단한 항쟁,
너에게
억압이란 있을 수 없다.
항상 푸른 하늘을 향해 자라는 너는
오히려
장벽을 꽃밭으로 일구는구나.
초연硝煙 가신 광장의 깃발들처럼
울타리 가득 뻗어 올라 빛을 향해서
만세!
총궐기한

빛 고운 우리 나라 6월 나팔꽃.

— 6월 항쟁을 보고

아름답지 않은 꽃도 있다든가

아니다. 모든 꽃은 아름답다. 모든 꽃은 예쁘고, 곱고, 귀엽고, 사랑스럽다. 그리하여 꽃만이 꽃이 아니라 예쁜 것은 모두 꽃이라 한다. 여자들을 꽃이라 한다. 예쁘지 않은 여자는 이 세상에 없는 까닭이다. 귀여운 소녀는 막 피어난 꽃봉오리, 아름다운 처녀는 활짝 핀 꽃송이, 아름다운 연인을 영원한 나의 꽃이라 한다. 귀비의 아름다움에 취한 중국의 옛 황제는 세상에서 가장 아름다운 꽃을 골라 양귀비라 부르기도 하였다. 꽃 같은 얼굴, 꽃 같은 처녀, 꽃 같은 마음, 꽃 같은 자태……. 그러나 꽃은 항상 아름답기만 한가.

아니다. 꽃은 아름답기만 한 것이 아니다. 가시를 가진 장미를 보아라. 꺾을수록 더 푸르게 자라는 한국의 장미. 기미년의 어떤 감옥에서 독립 만세를 부르며 숨져간 우리의 유관순 누나 같지 않는가. 어떤 이는 한 접시의 등불처럼 아름답다 하지만, 어떤 이는 한 떨기의 떠오르는 별무리같이 아름답다 하지만 아니다. 장미는 장미다. 지켜야 할 목숨이다.

장미를 키워본 자는 안다. 장미가 어떻게 이 풍진 세상을 사는가. 장미를 사랑하는 자는 안다. 장미가 어떻게 자신의 목숨을 지키는가. 장미는 스스로 목숨을 던질 때 산다. 스스로 목숨을 던져서 오히려 영원을 산다. 그의 목에 대는 칼, 독재의 그 가혹한 참형, 진흙밭에 뒹구는 그 잘려진 머리.

그러나 5월의 그 참혹한 꽃밭에 가본 자는 안다. 그 미친 바람 불던 광장에 가본 자는……, 그 꺾인 장미의 꽃 대궁이, 그 잘려진 장미의 가지들이 어떻게 다시 식파되는지를, 그 꺾인 장미의 줄기가 어떻게 소생하는가를. 장미는 꺾일수록 더 푸르게 자라는 것, 장미는 잘릴수록 더 퍼져가는 것.

아름답다고 꺾으려 하지 마라. 목에 칼을 대도 할 말을 하는 빛 고운 우리 나라 5월 장미꽃.

꽃은 정녕 아름답기만 한가.

아니다. 꽃은 아름답기만 한 것이 아니다. 담벽을 기어 넘는 나팔꽃을 보아라. 가둘수록 끈질기게 항거하는 한국의 나팔꽃. 어떤 이는 동트는 아침 노을같이 아름답다 하고 어떤 이는 소복한 여인같이 아름답다 하지만 아니다. 나팔꽃은 나팔꽃이다. 나팔꽃은 지켜야 할 이념이다.

나팔꽃은 울안을 거부한다. 속박의 벽을 뛰어넘어서 먼 지평을 향해 새벽을 알리는 나팔을 힘차게 분다. 밖으로 밖으로 열린 세상을 만들며 부단히 진군한다. 그들에게 억압이란 있을 수 없다. 진실로 나팔꽃을 본 자는 알리라. 땅이 아니라 아스팔트 위를 기어가는 꽃도 있다는 것을,

6월의 그날 서울의 명동에서, 세종로에서 당신은 보았으리

라. 어깨와 어깨를 메고 팔과 팔을 엮어 와와! 바리케이드를 넘어 달려가던 힘찬 그 대열을, 가로막는 폭력을 가로질러서 태양을 향해 뻗어가는 넝쿨들의 부단한 항쟁과 그 끈질긴 항일성을. 그리하여 마침내 초연 가신 광장에 일군 아름다운 서울의 그 꽃밭을.

애잔한 꽃이라고 꺾으려 하지 마라. 속박의 울타리를 벗어나 만세! 총궐기한 빛 고운 우리 나라 6월 나팔꽃.

아름답지 않은 꽃도 있다든가.

아니다. 모든 꽃은 아름답다. 모든 꽃은 예쁘고, 곱고, 귀엽고, 사랑스럽다. 그리하여 꽃만이 꽃이 아니라 예쁜 것은 모두 꽃이라고 한다. 여자들을 꽃이라 한다. 그러나 아니다. 꽃은 아름답기만 한 것이 아니다. 꺾을수록 푸르른 장미를 보아라. 가둘수록 항거하는 나팔꽃을 보아라.

쇠붙이의 영혼

쇠붙이에도 영혼이 있다는 것은
기계들을 보면 안다.
지상에 동식물이 분포해 있듯
하늘을 나는 비행기는 새,
땅을 달리는 자동차는 짐승,
바다를 헤엄치는 선박은 어류,
한군데 붙박인 공장의 기계들은 식물군락이다.
전생애를 바쳐 초목들이
곡물과 과일을 소출하듯
공장의 기계 역시 물품들을 생산한다.
지상에 사악한 짐승이 있고
총이나 칼같이 악령에 사로잡힌 쇠붙이가 없는 것은 아니지
만
그에게도 영혼이 있다는 사실을
아는 자라면
모든 쇠붙이는 가라고 말하진 않으리라.

삶과 죽음이란 자리를 바꾸는 일
이 세상 어디에도 소멸은 없다.
죽은 물질에 섬광처럼 깃들이는
전류, 그
쇠붙이의 영혼

이렇게 생각해 볼 수도 있을 것이다.

인간만이 영혼을 가진 것일까. 인간이 아닌 짐승이나 초목도 혹시 영혼을 지니고 있는 것은 아닐까. 집에서 기르는 개가 영특하게도 내 감정과 의사에 따르는 것을 볼 때, 뜰의 장미가 봄 이슬에 젖어 애잔하게 나를 쳐다보고 있는 것처럼 느껴질 때, 집 앞 미루나무 위의 까치가 노을 속에 잠기는 해를 보며 자꾸 짖고 있는 것을 볼 때 당신은 한번쯤 이 같은 생각을 해 보았을 것이다.

집에서 기르는 개는 주인을 알아 본다. 몇 마디의 말도 이해한다. 팔려 간 몇 주일 만에 수백 리 길을 달려 옛 주인에게 되돌아온 개. 술에 취해 노상에서 얼어 죽을 뻔한 주인을 살려낸 개. 개에게 만일 영혼이 있다면 사슴이나 노루도, 비둘기나 멧새들도 영혼을 지녔을 것. 다만 식물도 동물도 모두 영혼을 지니고 있지만 마치 코드가 다른 컴퓨터처럼 영혼의 코드가 달라서 서로 내통하지 못하는지도 모른다.

살아 있는 모든 것은 영혼을 지녔다. 그렇다면 물질이나 물체는 어떤가. 당신은 혹시 하늘에 떠가는 비행기를 마치 살아 숨쉬는 생물 같이 느낀 적은 없는가. 지상을 달리는 자동차는, 바다 위에 떠가는 배는, 잘 돌아가고 있는 공장의 기계들은……. 자갈밭의 돌멩이들은 혹시 잠을 자고 있을지도, 땅 속의 보석들은 혹시 꿈을 꾸는 것일지도, 별들은 혹시 지상의 연극을 관람하고 있을지도 모른다. 영혼이란 인간만의 소유는 아닌 것, 남미의 인디언들이 숲과 나무는 어머니의 머리털이며, 땅은 어머니의 살이며, 암석은 어머니의 뼈라고 선언한 것은 하등 이상스러웁지가 않다.

쇠붙이에도 영혼이 있다는 것은 기계들을 보면 안다. 기계도 인간처럼 움직이고, 말하고, 일하지 않던가. 그러므로 이 지상에 동물과 식물이 분포해 있듯 우리가 물질이라 부르는 것들에게도 동물과 식물이 있을지 모른다. 차원이 다른 세계로 보면, 인간이 아닌 기준으로 보면 하늘을 나는 비행기는 새, 땅을 달리는 자동차는 짐승, 바다를 헤엄치는 선박은 어류魚類, 한군데 붙박인 공장의 기계들은 식물.

공장의 기계들을 보아라. 잘 경작된 밭이 밀을, 잘 정지된 논이 벼를 소출하듯, 잘 가꾼 과수원이 무르익은 과일을 결실하듯 공장의 기계들도 잘 만들어진 물품들을 생산해 내지 않던가. 한 개의 공장은 하나의 과수원 혹은 한 필지의 농경지, 그 안의 기계들은 농장의 과목들, 공산품은 농산물, 공원들은 농부. 최신의 기술과 첨단의 장비가 훌륭한 제품을 만들어 내듯 전생애를 바쳐 초목도 곡물과 과일들을 생산해 낸다.

사랑은 활활 타오르는 불, 그것은 우리의 가슴에, 심장에 있다고 한다. 그런데 모든 죽음은 사랑의 소멸, 그리하여 죽은 자는 싸늘하게 식는다. 차갑게 그 육신이 굳는다. 그러나 생명체만 그렇지는 않는 것, 기계들을 보아라. 움직이는 자동차나, 비행기를 보아라. 쇠붙이에 깃드는 전류는 그들의 영혼, 이 역시 불을 지니고 있지 않던가. 불의 힘으로, 전기의 힘으로 살아가고 있지 않던가. 공장의 기관은, 발전소의 보일러는, 자동차와 비행기의 엔진은 모두 불을 가진 그들의 심장. 인간이든 짐승이나 나무, 물질이나 기계든 어떤 것도 불 없이 살지는 못한다.

죽음을 두려워하지 마라. 죽어서 물질로 돌아가는 것을 서러워하지 마라. 죽음도 삶의 한 방식, 다만 그것은 차원이 다른 세계로의 여행일 따름인 것을.

젖은 꿈

모래알로 부비며 산다.

물방울로 부비며 산다.

해 뜨면 젖은 몸 말리며

달 뜨면 젖은 꿈 말리며

사팔뜨기, 사팔뜨기,

서러운 게[蟹]

내 꿈의 바다에

사리 부풀어

하늘이 치마끈 풀면

별들은 하나씩 눈으로 들어와

진주가 되고

진주는 또 하나의

목숨을 키운다.

물 나면

소금밭에 쓰러져 게들과 놀고
물 오르면
동백숲에 쓰러져 물새들과 놀고

모래알로 부비며 산다.
물방울로 부비며 산다.
갯바람에 젖은 손 말리며
해조음에 젖은 귀 말리며
귀머거리, 귀머거리,
서러운 육신.

강물은 흘러 흘러 바다로 간다.

샘물은 흘러서 개울로, 개울은 흘러서 강으로, 강물은 흘러서 바다로 간다. 강물만이 아니다. 땅을 적시는 빗물도, 풀잎에 맺힌 이슬도, 뺨에서 떨어지는 눈물도 흘러 흘러서 바다로 간다. 바람에 날리는 꽃잎도, 꽃잎에 어리는 별빛도, 한 줌의 재로 삭아버린 육신도 결국은 흘러 흘러 바다로 간다.

바다에 가면 한 그루 해당화海棠花로 살아서 좋겠다.

해당화는 육지가 다한 바닷가에서 홀로 피는 꽃, 세상은 들끓는 욕망의 시장인데 그는 일상의 번잡을 벗어나, 세속의 오염을 벗어나 오로지 푸르른 하늘을 우러르며 산다. 비 내려 말갛게 영혼을 씻고, 서리 내려 차갑게 정신을 닦고, 더러운 육신, 태풍의 매질로 거듭나 그 고행은 이미 삶의 질곡을 초월한 지 오래다. 밤 되면 하늘의 반짝이는 은하수를 바라고 낮에는 멀리서 손짓하는 흰 구름을 좇고……. 해당화는 속된 삶을 버려야 피는 꽃.

바다에 가면 갯사람으로 살아서 좋겠다.

명예도 버려, 재산도 버려, 모든 탐욕도 버려 갯벌에 바람막이 움막 하나 지어놓고 배 고프면 갯가의 해초를 뜯어 먹는 나는 갯사람. 해 비치면 햇빛으로 맨몸을 태우고, 비 내리면 빗물로 전신을 적시고, 바람 불면 해풍으로 머리를 말리면서 다만 한가지 바다가 되기 위해 바다와 더불어 살 뿐이다. 내 유일한 지식은 바다의 물 때, 밀물 들면 배 타고 나아가 고기를 잡고 썰물 나면 갯가의 조개를 줍는다. 바람 불어 먼 바다 심상치가 않은데 버릴 때와 가야할 때를 분명히 알고 사는 나는 갯사람.

바다에 가면 한 마리 소라로 살아서 좋겠다.

소라는 귀가 커서 행복한 중생, 그는 항상 바다를 향해 귀를 연다. 항상 하늘을 향해 귀를 연다. 돌아보면 육지는 아비규환, 다투고 싸우는 아우성뿐인데 그가 듣는 것은 먼 바다에서 들려오는 해조음海潮音, 먼 하늘을 운행하는 별들의 음악이다. 귀는 미지의 세계로 열린 문, 큰 귀는 영원의 세계로 가는 통로, 귀가 커서 행복한 소라는 영원의 소리를 들을 줄 안다. 물 들면 고기떼와 어울려 놀고, 물 나면 게들과 함께 놀고……

바다에 가면 한 알의 모래로 살아서 좋겠다.

더 이상 형상形狀에 집착하지 않아도 되는 모래, 더 이상 주어진 틀에 얽매이지 않아도 되는 모래, 더 이상 욕망의 노예가 되지 않아도 되는 모래, 더 이상 애증愛憎에 몸부림치지 않아도 되는 모래, 모든 그릇이 깨지면 모래가 되듯, 모든 존재 역시 마지막엔 본래대로 돌아간다. 모래로 돌아간다. 모래가 되어 획득한 저 절대의 자유, 모래는 바닷가에서 그 자신 영원을 이룬다. 그 자신을 지움으로써 오히려 무한을 얻는다.

강물은 흘러 흘러 바다로 간다.

숲 속의 샘물은 흘러서 개울로, 개울은 흘러서 강으로, 강물은 흘러서 바다로 간다. 강물만이 아니다. 땅을 적시는 빗물도, 풀잎에 맺힌 이슬도, 뺨에서 떨어지는 눈물도 흘러 흘러서 바다로 간다. 바람에 날리는 꽃잎도, 꽃잎에 어리는 별빛도, 한 줌의 재로 삭아버린 육신도 결국은 흘러 흘러 바다로 간다. 강물은 흘러 흘러 왜 바다로 가는 것일까.

거기엔 잃어버린 모든 것들이 있기 때문. 갈고 닦여서, 부서지고 깨져서, 녹고 썩어서, 증발해서 하나의 영원으로 남아 있기 때문. 수평선 가득히 하이얀 소금기로, 하이얀 해조음으로 남아 있는 그 영원 때문…….

먼 하늘

바람이 분다.
하늬바람이 불어온다.
백양나무 흰 물결이 쓸려 가고
단풍 물이랑도 어느덧 잦느니,
가을 산은
썰물이 진 갯벌,
드러낸 암초의 앙상한 해초들 속에서
낙과落果를 줍는
나는 조개잡이였구나.

바람이 분다.
마파람이 불어온다.
마른 잔디엔 벙벙히 초록 물 들고
숲은 거대한 파도 소리로 우느니,
봄 산은
밀물이 든 바다,

크고 작은 능선의 푸른 파도를 타고
산을 오르는
나는 뱃사람이었구나.

산이 물이요 물이 산인데
산을 어찌 산이라 이르겠는가.
물이 산이듯 산이 물이듯
산문山門에 기대어 바라보는

먼 하늘.

산은 산이요 물은 물이다.

어떤 선사禪師의 말씀이던가. 산山은 산山이요, 물水은 물水이라 한다. 아마도 산을 물, 물을 산이라고 우기는 자가 많았던 게지. 진실이 허위가 되고 허위가 진실이 되는 모순이 많았던 게지. 이득을 위해서, 출세를 위해서, 영달을 위해서, 권력을 위해서 진실을 덮어두고 허위를 좇아 사는 삶이 많았던 게지. 그래서 위록지마爲鹿之馬라 하지 않았던가. 힘 있는 자가 사슴을 가리켜 말이라 우기면 다들 그렇게 동조했다 하지 않던가.

산에서 자라는 나무가 물에서 자랄 수는 없는 것. 산에서 사는 새가 물에서 살 수는 없는 것. 물에서 헤엄치는 고기가 숲에서 날 수는 없는 것, 물에서 크는 진주가 흙에서 클 수는 없는 것, 그리하여 선인들은 일찍이 이치에 맞지 않는 일을 가리켜 연목구어緣木求魚라고 했다. 물고기를 바다에서 찾지 않고 산에서 찾는다는 것이다. 물고기는 바다에서, 나무는 산에서 사는 것이 도리인 것, 그러므로 산은 산이요 물은 물이다.

그러나 산이 항상 산이 아니요 물이 항상 물은 아니다. 그래서 상전벽해桑田碧海라는 말도 생겼다. 산에서도 소금이 나오고, 산에서도 물고기의 화석이 나오고, 산에서도 수성암水成岩이 나온다. 예전의 바다가 오늘의 육지가 되고, 예전의 육지가 오늘의 바다가 되는 것은 항용 있는 일. 지금 땅에 살고 있는 생명들도 예전에는 바다에서 살았다. 산이 항상 산은 아니요, 물이 항상 물은 아닌 것. 그러므로 산이 산이요 물이 물인 것은 영원의 시간에서가 아니라 순간의 시간에서 보는 것. 지금 이 순간이, 지금 이 현실이, 지금 이 현상이 그렇다는 것이다.

그러나 설령 순간을, 현실을 지적했다 하더라도 산은 과연 산이고 물은 과연 물인가. 폭풍우 몰아치는 산속의 숲에서 밤을 견디어 본 자는 안다. 비바람 휩쓰는 숲 속의 초옥에서 밤을 지새어 본 자는 안다. 산이 산이 아니고 물이 물이 아니라는 것을. 폭풍우 몰아치는 어둠 속의 산은 칠흑의 밤바다. 한차례 강풍이 불면 대숲은 큰 파도로 밀려와 벽을 후려치고 떡갈나무의 잔파도는 흰 이빨을 드러낸 채 으르렁거린다.

그 속의 불안한 초옥草屋은 광란의 바다에 표류하는 일개 돛

배이거니 바람이 불 때마다 기우뚱 밀리는 선체船體, 그 흔들리는 선실에 희미한 촛불을 켜고 정성 들여 먹을 갈아 새하얀 한지韓紙에 고죽苦竹을 친다. 인생은 고해苦海라는데 격랑을 헤쳐갈 해도海圖를 나는 아무래도 그릴 수 없다. 밤바다를 항해하는 선박처럼 나는 아무래도 백지에 붓의 중봉中峰을 세울 수 없다. 그러므로 산을 어찌 항상 산이라 이르겠는가.

바람이 분다. 하늬바람이 불어온다. 백양나무 흰 물결이 쏠려 가고 단풍 물이랑도 어느덧 잦느니, 가을 산은 썰물이 진 갯벌, 드러낸 암초의 앙상한 해초들 속에서 낙과落果를 줍는 나는 조개잡이였구나. 바람이 분다. 마파람이 불어온다. 마른 잔디엔 벙벙히 초록 물 들고 숲은 거대한 파도 소리로 우느니, 봄 산은 밀물이 든 바다, 크고 작은 능선의 푸른 파도를 타고 산을 오르는 나는 뱃사람이었구나. 산이 물이요 물이 산인데 산을 어찌 산이라 이르겠는가.

산이 물이요 물이 산이다.

산이 산이고 물이 물인 것은 저 덧없는 감각의 세계, 저 무상한 현상의 세계. 원래 이 세상은 물이 물인 것도, 산이 산인 것도 없다. 물이 산인 것도, 산이 물인 것도 없다.

성냥

어둠 속에서
누가 칼을 가는가,
한밤에 깨어
성냥을 켜본 자는 안다.
곽 속에 갇혀 싸늘하게 쏘아보는
눈빛,
배신은 차가운 불이다.
이글이글 타는 숯불이 아니라
파랗게 빛나는 인광燐光.
누구나 끼리끼리
체온을 부비며 견디는 겨울,
마른 성냥개비는 결코
정情에 젖지 않는데
언 몸을 녹이려 —팍,
성냥을 긋는다.
그러나 아뿔싸,

기름에 번지는 불길,
불이야!
함께 있어도 항상
홀로 깨어 있는 성냥은
배신을 노리는 칼이다.

갇힌 것은 삭는다.

물이나 흙이나 공기나 무엇이든 갇힌 것은 삭는다. 혹은 썩는다. 한자리에 갇힌 것은, 한자리에 못 박힌 것은, 한자리에 묶여진 것은 움직일 수 없는 까닭에, 움직여서 새롭게 변신하지 못하는 까닭에 썩어 죽는다. 인간을 보아라. 분주하게 움직이는 사람보다는 무료하게 서 있는 사람이, 서 있는 사람 보다는 앉아 있는 사람이, 한군데 앉아 있는 사람보다는 힘 없이 누워 있는 사람이 더 병약하지 않은가. 누워서 마침내 더 이상 움직일 수 없을 때 우리는 그것을 죽음이라고 말한다. 갇힌 존재는 삭아서 소멸하는 것이다.

세상의 모든 것은 움직일 줄을 안다. 유정有情한 것만이 아니라 무정無情한 것, 물이나 흙이나 공기도……. 물은 스스로 흐를 줄을 알며, 흙은 스스로 무너질 줄을 알며, 공기는 스스로 덥힐 줄을 안다. 그러나 돌멩이를 보아라. 박힌 돌은 갇힘으로써 증오에 떨지만, 덫처럼 숨어서 채일 발부리를 노리지만 구르는 돌은 바다에 이른다. 영원에 이른다. 바닷가에서 보석처럼 반짝이는 조약돌. 그러나 박힌 돌은 묶여 있는 까닭에 썩어서 흙이 된다. 진흙이 된다. 증오는 스스로 자신의 죽음을 부르는 행위.

갇힌 것은 깨진다.

호수의 얼음장이나, 산중의 절벽이나, 숲 속의 바위나 갇힌 것은 언제인가 깨진다. 한자리에 갇힌 것은, 한자리에서 멈춘 것은, 한자리에서 딱딱하게 굳어버린 것은 그 견고한 강도만큼 파격적으로 깨진다. 인간을 보아라. 사랑으로 사는 사람보다는 이성으로 사는 사람이, 이성으로 사는 사람보다는 이념으로 사는 사람이, 이념으로 사는 사람보다는 맹목盲目으로 사는 사람이 더 위험하지 않든가. 맹목이 지나쳐서 광신狂信에 이른 사람이 마침내 부르는 저 운명적 파멸. 우리는 그것을 비극이라 부른다.

세상의 모든 것은 자신을 부드럽게 풀 줄을 안다. 나무는 스스로 꽃 피울 줄 알며, 구름은 단비를 뿌릴 줄 알며, 바람은 안개를 걷을 줄 안다. 그러나 계곡 깊숙이 갇혀 굳어버린 절벽을 보아라. 비탈진 언덕에는 진달래 곱게 피어나는데, 앞산 봉우리에선 꾀꼬리 울음소리 흥에 겨운데, 눈 아래 계곡에서는 개울물 소리내어 흘러가는데 굳어서 스스로 파멸을 선택하는 저 맹목의 신념을 보아라. 우뚝 선 그것만을 자랑이라 생각하는, 하늘을 받드는 그것만을 보람이라 생각하는, 불변하는 그것만을 미덕이라 생각하는 저 돌멩이의 형이상학을. 그러나 얼음이 풀리는 이른 봄날엔 더 이상 신념이 미덕일 순 없다. '쨍' 하고 무너지는 빙폭氷瀑과 함께 와르르 금이 가는 계곡의 절벽.

간힌 자는 항상 배신을 꿈꾼다.

갇힌 것은 갇혀 있는 까닭에, 자유를 원하는 까닭에 속으로는 항상 배신을 꿈꾼다. 주어진 상황을 벗어나기 위하여, 벗어날 기회를 포착하기 위하여, 탈출을 위하여 항상 음모를 꿈꾼다. 감옥에 갇힌 수인囚人을 보아라. 증오에 떨고 분노로 싸늘하게 불 타는 눈빛을, 어둠 속에 숨어서 칼을 가는 저 번뜩이는 시선을. 그의 순종은 저항의 갑옷, 그의 침묵은 저주의 방패, 그의 인내는 복수의 칼, 현명한 수인은 섣불리 탈옥을 시도하지 않는다.

배신의 얼굴을 보았는가. 어둠 속에서 칼을 가는 자의 정체를 보았는가. 한밤중에 깨어 성냥을 켜 본 자는 안다. 곽 속에 갇혀 싸늘하게 쏘아보는 그 성냥개비의 눈, 그것은 배신의 차가운 불이다. 이글이글 타오르는 숯불이 아니라 파아랗게 빛나는 인광. 성냥개비는 갇혀 있는 까닭에 뛰쳐나와 항상 방화放火를 꿈꾼다. 가두지 마라. 갇히지 마라.

세상은 원래 제 갈 대로 가는 것, 순리대로 가야만 하는 것.

흐르고 흘러서

세상의 사물들과 마찬가지로

시간에도

고체와 액체와 기체가 있을지

모른다.

과거는 굳어버린 기억

시간의 얼음,

현재는 흐르는 의식

시간의 물,

미래는 꿈꾸는 몽상

시간의 안개,

지상의 언어도 그런 것일까

이념과 사랑과 믿음은

정신의

고체와 액체와 기체를

이룰지 모른다.

나는 얼어붙은 이념이 싫다.

흐르는 물을 보아라.
사랑으로 흐르고 흐르면
그는 드디어 저 절대의
자유에 도달하지 않는가.

이 생은 소중한 것, 짧다고, 너무 덧없이 흘러간다고 슬퍼하지 마라. 하늘처럼, 태양처럼 오래 살지 못한다 하지만 태양이나 지구는, 산이나 바다는 단순히 그저 있는 물질, 꽃이나 새처럼 살아 있는 생명이 아니다.

존재하는 것은 단순히 있는 것과 다르다. 존재하는 것은 의미를 지닌 것, 거기 그저 그렇게 있는 것과 다르다. 당신은 생명으로 태어나기보다 그저 그렇게 하나의 물질로 남아 있기를 바라는가. 당신은 한 송이 꽃으로 피어나기보다 황야에 버려진 돌멩이로 남아 있기를 바라는가. 그렇지 않다면 인생이 너무 짧다고, 삶이 너무 덧없이 흘러간다고 슬퍼하지 마라. 살아 있음 그 자체가 이미 영원인 것, 순간 그 속에서 당신은 영원을 보고 있는 것이다.

이 생이 끝나면 또 다른 생이 오는지는 모르지만 이 생은 그 자체만으로도 이미 무엇보다 소중하고 아름답다. 그래서 신神조차 당신이 지으신 이 생의 아름다움을 보고 감탄했다 하지 않던가. 이 세상에 살아 있는 그 어떤 것보다 의미 있는 것은 없다. 살아 있는 그 어떤 것보다 아름다운 것은 없다.

당신은 보석을 좋아하는가. 그 어떤 보석도 사랑하는 이의 눈동자에서 빛나는 사파이어보다 더 아름답지는 않다. 당신은 어둠 속의 떠오르는 보름달을 좋아하는가. 그 어떤 둥근 달도 사랑하는 이의 얼굴보다 예쁘지는 않다. 당신은 따뜻한 햇빛을 좋아하는가. 그 어떤 지상의 따뜻함도 사랑하는 이의 가슴보다 따뜻하지는 않다. 이 생은, 존재하는 생명은 비록 짧기는 하나 단순히 그저 그렇게 있으면서 영원한 물질보다는 훨씬 고귀하다.

그저 있다는 것은 의미가 아닌, 단지 어떤 상태로 머문다는 것. 그런데 모든 상태는 반복한다. 기체에서 고체로, 고체에서 액체로, 액체에서 다시 기체로……. 우리는 의미 없는 이 상태의 단순한 반복을 영원이라 부를 뿐이다. 흐르는 물은 영원하다. 눈이 녹아서 물로, 물에서 증발하여 수증기로, 수증기에서 얼어 눈으로, 다시 눈에서 녹아 물로 반복하는 까닭에.

시간은 어떤가. 과거는 고체, 마치 얼음처럼 굳어 버린 시간, 그 누구도 형질形質을 바꾸어 놓을 수 없다. 과거는 신神조차 어찌할 수 없다고 하지 않던가. 현재는 액체, 물처럼 흘러가는 시간, 마음만 먹으면 그 누구라도 물길을 바꾸어 놓을 수 있다. 그러나 미래는 기체, 수증기처럼 실체가 드러나지 않는 시간. 오늘의 미래는 내일의 현재가 되고, 오늘의 현재는 내일의 과거가 되는 법, 시간도 흐르는 물처럼 상태의 변화만을 반복할 따름이다.

우리가 발을 붙이고 사는 지구는 애초에 허망한 가스들이 뭉쳐서 들끓는 용암이 되고, 용암이 굳어서 땅이 된 것이다. 그러므로 언제인가 지구는 다시 블랙홀의 가스로 되돌아 갈 것, 빛은 굳어서 어둠이 되고, 어둠은 녹아서 여명이 되며, 여명은 증발해서 다시 빛이 된다. 우리가 영원이라, 무한이라 부르는 것은 이처럼 세 가지 상태의 반복에 지나지 않는다.

그러나 생명은 동시에 기체와 액체와 고체, 이 세 가지 상태를, 반복이 아니라 한가지로 융합하는 것, 우리는 그것을 의미, 또 존재라 이른다. 전신을 도는 피는 액체이며, 육체를 떠받치는 골격은 고체이며, 정신은 또한 기체가 아니던가. 태초에 신께서도 물에 반죽된 진흙에 입김을 불어넣어 인간을 지으셨다고 했다. 물과 진흙과 입김은 각각 액체와 고체와 기체인 것.

그러므로 단순히 그저 그렇게 있는 영원을 영원이라 하지 마라. 진정한 영원은 생명 안에 있는 것, 이 생이야말로 진정 의미있고 아름다운 영원이다.

3부

천년의 잠

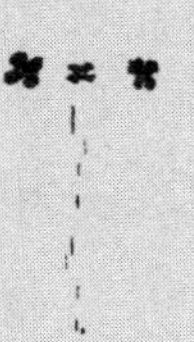

이마를 맞대고

잠든 영혼을 깨우는 게
절망이라면
잠든 돌멩이를 깨우는 건
강물이다.
흐르는 물 속에서
버티는
돌,
돌은 돌이라서
이마를 맞대며 산다.

잠든 사랑을 깨우는 게
미움이라면
잠든 파도를 깨우는 건
바람이다.
설레는 바람에 부푸는
파도,

파도는 파도라서
가슴을 껴안고 산다.

잠든 육신을 깨우는 게
아픔이라면
잠든 보석을 깨우는 건
햇살이다.
비치는 햇살로 꿈꾸는
보석,
보석은 보석이라서
눈빛을 마주하며 산다.

잠은 인간에게만 있는 것은 아니다. 개, 돼지에게도, 소에게도 늑대에게도 있다. 꽃에게도 풀에게도 나무에게도, 아니 흙이나, 돌멩이나, 밤에 반짝반짝 빛나는 별에게도 있다. 세상의 모든 것들은 잠을 잔다. 그리고 어느 순간 깨어난다.

봄에 얼어붙은 흙을 헤치고 돋아나는 새싹들을 보아라. 이제 막 잠에서 깨어나 기지개를 펴고 있지 않은가. 봄에 말라붙은 가지에서 눈뜨는 새잎들을 보아라. 이제 막 잠에서 깨어나 하품을 하고 있지 않은가. 아침에 봉긋 솟아올라서 대지를 비추는 해를 보아라. 이제 막 깨어 일어나 하루 일과를 시작하려 하지 않은가. 이렇듯 이 세상의 사물들은 어느 순간 잠들고 어느 순간 깨어난다. 그리고 스스로 깨어나지 못하는 자는 누군가에 의해서 깨워진다. 아니 서로가 서로를 깨워준다. 영원히 잠든다는 것은 곧 죽는다는 것. 사물들의 이 따뜻한 휴머니즘, 사물들도 인간처럼 서로 어울려 사는 것이다. 절대로 홀로 살지 않는다.

잠든 돌멩이는 누가 깨워주는가. 길가에서나, 언덕에서나, 강변에서나 어디서든 틈만 나면 잠든 돌멩이, 땅 속에 코를 박고 세상 모르게 잠든 돌멩이, 그는 아침이 와도 스스로 깨어날 줄을 모른다. 침묵의 어두운 숲에서 안식에 들기만을 바란다. 밖에는 꽃이 피고 또 지는데 어디선가는 얼음 풀려 산사태 일어나는데……

스스로 깨어날 줄 모르는 돌멩이는 누가 깨워주는가. 급류 속에 휘말린 돌멩이를 보아라. 잠든 돌멩이를 깨워 주는 것은 강물이다. 갇힌 방에서 밀쳐내는, 그리하여 밝은 세상으로 등을 떠미는 강물의 손길이 돌멩이를 깨워주는 것이다. 급류에 휩쓸리지 않으려고 바둥대는 저 물 속의 돌멩이, 그 속에서 한사코 버티는 돌들의 절규, 그리하여 돌멩이는 돌멩이의 아픔을 안다. 그리하여 돌멩이는 돌멩이와 서로 이마를 맞대며 산다. 강물과 함께 산다.

잠든 파도는 누가 깨워주는가. 대지의 어머니 그 따사로운 바다의 품에 안겨, 새근새근 잠든 파도, 흔들리는 바다의 요람에 실려 세상 모르게 잠든 파도, 그는 아침이 와도 눈뜰 줄을 모른다. 감미로운 늪에서 빠져 나올 줄을 모른다. 밖에는 비가 오고 또 개이는데 어디선가는 눈보라가 휘날리는데……

스스로 깨어날 줄 모르는 파도는 누가 깨워주는가. 폭풍에 휘말린 파도를 보아라. 잠든 파도를 깨워주는 것은 바람이다. 아늑한 침실에서, 요람의 깊은 꿈속에서 그를 일으켜 밖으로 떠미는 것은 거친 바람이다. 폭풍에 휩쓸리지 않으려고 안간힘 쓰는 파도, 벼랑에 부딪혀 하이얗게 부서지는 파도의 포말, 그리하여 파도는 파도의 아픔을 안다. 그리하여 파도는 파도끼리 서로 가슴을 껴안고 산다. 바람과 함께 산다.

잠든 영혼은 누가 깨워주는가. 관능의 부드러운 입술에 취해, 달콤하고 향기로운 말씀에 취해, 황홀한 한잔의 술에 취해 육체 깊숙이서 잠든 영혼, 그는 새벽이 와도 아침이 와도 눈을 비벼 뜰 줄을 모른다. 쾌락의 깊은 잠에서 헤어나올지를 모른다. 밖에는 태양이 벌써 머리 위에 떠 있는데 어디선가 정오를 알리는 축포가 터지는데…….

스스로 깨어 일어날 줄을 모르는 우리들의 영혼은 누가 깨워주는가. 잠든 영혼을 깨워주는 것은 절망이다. 어두운 밀실에서, 쾌락의 깊은 동굴에서 우리를 밖으로 끌어내는 그 절망. 그리하여 영혼은 아픔을 안다. 아픔이 어떻게 우리를 성숙케 하는지를 안다. 인간은 왜 사랑 없이 살 수 없는 동물인지를 안다.

순결

무엇이랄 수 있겠습니까.

당신이 보아준 적 없는

꽃,

의미없는 무인칭의 그것.

무엇이랄 수 있겠습니까,

당신이 불러준 적 없는

숲,

이름 없는 미지칭의 아무 것.

무엇이랄 수 있겠습니까,

당신이 밟으신 적 없는

풀,

감각 없는 부정칭의 어떤 것.

그러나 님이여,

나는 지금 당신의 화단에서 다소곳이 피는

한 떨기 장미가 되고 싶어요.

풀과 숲을 헤치고 내게 와서 이제

나를 장미라 불러주세요.
이 황막한 광야에 고운 길 하나
당신의 발길로 내주세요.

세상에는 수많은 사물들이 있다. 하늘에는 해가 빛나고, 달이 뜨고 별들이 반짝거린다. 흰 구름이 날고 무지개가 뜨고 번개가 친다. 세상에는 수많은 사물들이 있다. 지상에는 산이 있고 들이 있고 바다가 있다. 나무가 있고, 바위가 있고 강물이 있다. 세상에는 참 많은 사물들이 있다. 노루, 사슴이 있고 비둘기가 있다. 그리고 그 수많은 것들 중에서 사람이라 이름하는 것들이 있다. 그중에서 아아, 너와 내가 있다.

세상에는 어찌하여 이렇게 많은 사물들이 있는가. 누가 이들을 이렇게 있도록 하였을까. 밤하늘의 별들을 보아라. 그 새 어디로 마실을 갔다가 이처럼 조르르 달려 왔을까. 누가 불렀는지 일제히 내달아 깔깔 웃고 있다. 내 이마 위에서 찬란하게 불 밝히는 밤하늘의 별들. 봄 뜰의 꽃들을 보아라. 그새 어디로 외출을 했다가 이처럼 우르르 달려 왔을까. 누가 불렀는지 일제히 내달아 '나요,' '나요' 손들을 흔들고 있다. 내 시선을 어지럽히는 저 황홀한 빛과 향…….

세상의 사물들은 누군가 그 이름을 불러주어야만 앞으로 달려나온다. 아니 내가 그 이름을 불러주어야만 내 앞으로 달려나

온다. '하린아' 하고 부르면 하린이가 사랑하는 내 딸로 내 앞에 서듯, '홍석아' 하고 부르면 홍석이가 내 사랑하는 아들로 내 앞에 서듯, 세상의 모든 것들은 이름을 가져야만 비로소 존재가 되는 존재. 별은 별이라는 이름으로, 꽃은 꽃이라는 이름으로, 새는 새라는 이름으로…… 그때 별은 비로소 별이 되고 꽃은 비로소 꽃이 되고 새는 비로소 새가 되는 것이다.

이름 없는 사물을 보았는가. 여러분들은 이름이 없는 사물을 본 적이 없을 것이다. 보았다 하더라도 이름을 지니고 있지 않다면 그것은 보지 않은 것이나 다름이 없다. 이름이 없는 것은 내게 아무런 의미도, 내 의식의 어느 한구석을 차지하는 존재도 될 수 없기 때문이다. 이 세계는, 그 안의 사물들은 내가 있으므로 있는 것이며 내가 그것을 인정하므로 존재하게 되는 것. 따라서 설령 그것이 누군가에 의해서 이미 이름이 지어졌다 하더라도 내가 그 이름을 모르면 아니 내가 그것을 새롭게 이름 지어주지 않으면 없는 것이나 마찬가지이다. 이름 없는 사물은 존재하지 않는다.

내전에 시달리는 르완다에서는, 기근으로 고통 받는 에티오피아에서는, 수단에서는 오늘도 많은 사람들이 죽어가고 있다고 한다. 우리와 똑같이 이목구비를 갖추고, 밤에는 잠을 자고, 사랑하는 사람을 사랑하고, 그리운 사람을 그리워하는 사람들. 그들이 죽어가고 있다고 한다. 그러나 그들은 과연 죽고 있는 것인가. 아니 살고 있는 것인가. 아니 존재하고 있기는 하는 것인가.

우리는 막연히 거기에도 사람은 살고 있으며 또 죽어가고 있다고 말한다. 그러나 누가 죽어가고 있는가. 그들은 우리에게, 아니 내게 이름이 없으므로, 어머니라는 이름으로, 누이라는 이름으로, 연인이라는 이름으로, 친구라는 이름으로…… 불려지지 않는 까닭에 없는 것이나 마찬가지인 것. 존재하지 않는 것이 된다. 여러분들은 그들의 죽음에 대해 한번이라도 가슴 아파한 적이 있었는가. 한번이라도 슬퍼한 적이 있었는가.

내가 본 적이 없는 꽃은 꽃이 아니다. 그것은 다만 무인칭의 어떤 것, 의미 없는 있음일 따름이다. 내가 만져 본 적이 없는 풀잎은 풀잎이 아니다. 그것은 다만 부정칭의 어떤 것, 어딘가 내던져진 것의 있음일 따름이다. 내가 이름을 불러 준 적이 없는 나무는 나무가 아니다. 그것은 다만 미지칭의 어떤 것, 어딘가 묻혀진 것의 있음일 따름이다.

그렇다면 이름이 불려지지 않은 꽃잎처럼, 풀잎처럼 너에게 '나'란 과연 무엇인가.

천년의 잠

강변의 저 수많은 돌들 중에서
당신이 집어 지금
손 안에 든 돌,
어떤 돌은
화암사禾巖寺 중창 미타전彌陀殿의 셋째 기둥 주춧돌로
놓이기를 바라고,
어떤 돌은
어느 시인의 서재 한 귀퉁이에 나붓이 앉아
시가 쓰이지 않는 밤, 그의 빈 원고지 칸을 지키기를 바라고,
또 어떤 돌은
어느 순결한 죽음 앞에 서서 만대萬代의 의義를 그의 붉은
가슴에 새기기를 바라지만
아, 나는 다만 당신이
물수제비 뜨듯 또다시 강가에 나를
팽개치지 않기만을……
아무도 깨워주지 않은 천년의 잠은

죽음보다 더 잔인할지니
흙 위에 엎드려 잠들기보다는
급류 속의 일개
징검다리가 되리라.
그러므로 님이여, 장난 삼아 던질양이면 차라리
거친 물살에 던지시라.
그리하여 먼 후일 당신이 다시 찾아오시는 날,
나는 즐겨 내 몸을 당신 앞에 바치리니
당신은 주저 말고 내 등을
밟고 건너시기를……

모든 것은 잠들 때와 깰 때가 있다.

인간만이 자는 것은 아니다. 짐승과 새들만이 자는 것은 아니다. 곤충과 벌레만이 자는 것은 아니다. 이 세상의 모든 것은 세상에 태어난 까닭으로 잠들 때와 깰 때가 있다. 어둠 속의 별들을 보아라. 낮 동안 잠자고 있지 않은가. 하늘의 태양을 보아라. 밤에는 잠자고 있지 않은가. 지상의 꽃들을 보아라. 겨울에는 잠자고 있지 않은가. 세상의 모든 것들은 잠들 때와 깰 때가 있다.

잠자는 꽃들은 누가 깨우는가. 그것은 봄바람이다. 아가 눈을 떠라. 새 아침이다. 봄바람의 그 어머니같이 부드러운 손길.

잠자는 호수는 누가 깨우는가. 그것은 반짝이는 새벽 별이다. 아가 눈을 떠라. 아침이 밝아온단다. 새벽 별의 그 어머니같이 잔잔한 시선. 잠자는 대지는 누가 깨우는가. 그것은 촉촉히 내리는 봄비다. 아가 눈을 떠라. 벌써 해가 기울었단다. 봄비의 그 어머니같이 부드러운 음성.

잠든 사물과 깨어 있는 존재, 세상의 모든 것들은 깨어나야 비로소 존재가 된다. 꽃이 피지 않은 나무를 누가 꽃나무라 이르겠는가. 하늘을 담지 않은 웅덩이를 누가 호수라 이르겠는가. 새싹을 움틔우지 않는 동토를 누가 대지라 이르겠는가. 그러므로 깨어 있지 않은 존재는 없다. 깨어 있지 않는 의미는 의미가 아니다. 깨어 있으므로 아름다운 나비를 부르는 꽃, 깨어 있으므로 흰 구름을 부르는 호수, 깨어 있음으로 수목을 기르는 대지.

잠자는 돌은 누가 깨우는가.

이 세상에는 수많은 돌이 있다. 강변에 가 보아라. 거기에는 수많은 돌들이 잠자고 있다. 보드라운 돌, 거친 돌, 모난 돌, 둥근돌, 쑥돌, 조약돌, 자갈돌, 바윗돌……. 어떤 것은 들꽃 아래서 꿈꾸며 잠들고, 어떤 것은 벼랑 아래서 위태롭게 잠들고, 어떤 것은 흙 속에 묻혀 세상 몰래 잠들고, 또 어떤 것은 길섶에 굴러다니며 잠든다. 그러나 잠자는 돌은 누가 깨우는가.

어떤 때는 촉촉히 젖어 올라오는 물기가 깨운다. 파아랗게 이끼가 돋는 돌. 어떤 때는 무너지는 흙이 깨운다. 절벽에서 굴러 떨어지는 돌, 어떤 때는 흐르는 개울이 깨운다. 웅얼웅얼 노래하는 돌, 어떤 때는 내리치는 벼락이 깨운다. 쩡 갈라지는 계곡의 바위. 그러나 어떤 때는 인간도 깨운다.

함부로 줍지 마라. 강변의 저 수많은 돌들 중에서 당신이 집어 지금 손 안에 든 돌, 어떤 돌은 화암사禾巖寺 중창重刱 미타전彌陀殿의 셋째 기둥 주춧돌로 놓이기를 바라고, 어떤 돌은 어느 시인의 책상 한 귀퉁이에 나붓이 앉아 있다가 시가 쓰이지 않는 밤 그의 빈 원고지를 지긋이 눌러 지키기를 바라고, 또 어떤 돌은 어느 순결한 죽음을 기념하는 비석이 되어 그의 의로움을 가슴에 새기기를 바라지만 나는 다만 당신이 팽개치는 것만이 두려울 뿐이다.

줍는 당신은 장난일 수 있지만, 줍는 당신은 한순간의 놀이일 수 있지만 당신에게 들려진 나는 비로소 한 생이 깨지는 것, 팽개치지 마라. 나는 다시 어느 죽음의 구덩이에서 누가 나를 발견할 때까지 그 기나긴 잠을 자야 하는 것이 두렵다. 아무도 깨워주지 않은 천년의 잠은 죽음보다 더 잔인할지니 차라리 던질테면 흐르는 강물에 던져달라. 흙 위에 엎드려 잠들기보다는 급류 속의 일개 징검다리가 되고 싶다. 그리하여 먼 후일 당신이 우연이라도 다시 여기를 찾아오시면 나는 즐겨 내 몸을 당신 앞에 바치리니 그때 당신은 주저 말고 내 등을 밟고 건너시기를……

모든 사물은 잠들 때와 깰 때가 있다.

무심히 지나치는 나와 당신, 잠자는 나는 당신에게 무슨 의미가 있는가. 무슨 존재가 되는가. 나를 무엇이라 불러다오. 나는 나를 부르는, 내 이름을 부르는 당신의 따뜻한 음성이 듣고 싶다.

들꽃

잘 자란 보리밭아
이제 너는 농부의 그 고운 땀조차
받기를 꺼리는구나. 괭이를 움켜쥔 그
싱싱한 힘조차……
살찐 흙과 입맞춤하며 우리들의 순결한 사랑을
갈던 그 봄의 쟁기는 지금
어디 갔는가.
내 발등에 부서져 내리던 그 부신 햇살은
가슴으로부터 날아올라
푸른 하늘로 솟구치던 종다리의 노래는…… 그러나
이제 더 이상
쟁기질하는 대지란 없다.
트랙터가 이랑들을 갈아엎고 제초제가
김매기를 대신하는…… 밭둑엔
들꽃 하나 피지 않는데
유전자가 조작된 보리들만 잘 자라 무성하구나.

이제 더 이상
백지에 펜을 긋지 않는다.
한 문장의 이랑도 컴퓨터 없이 갈지 못하는
내 원고지의 빈 들.

발은 땅을 딛어야 한다.

땅에서 일한다는 것은 노동한다는 것, 그것은 곧 땅 위에서 움직인다는 것이다. 발을 사용한다는 것이다. 짐승들을 보면 안다. 발밖에 없으므로 그들은 그의 전생애를 노동에 바친다. 먹이를 구하기 위하여 온 땅을 뛰고, 달리고, 뒤지지 않던가. 발견한 먹이 또한 발로 공격하고 또 발톱으로 할퀸다. 발은 노동을 위해 있는 것, 옛날 옛적 우리의 선조들도 오늘의 원숭이와 같은 유인원類人猿이었던 시절에 짐승처럼 오로지 발로 뛰어다니는 노동밖엔 몰랐으리라. 온종일 먹이를 찾아 산과 들을 달렸으리라. 과일을 채집하기 위하여 부지런히 이동하였으리라. 우리가 원시 수렵사회라 부르는 바로 그 시절.

그러나 문명의 시대에 들어서면서 발의 노동은 감소되기 시작한다. 짐승처럼 발로 뛰어다니는 노동이 끝나고 걸으면서 일하는 시대가 온다. 달리는 노동의 시대가 아니라 걷는 노동의 시대. 농부를 보아라. 천천히 걸으면서 쟁기로 밭을 갈고 천천히 걸으면서 수확을 거두지 않던가. 광부를 보라, 어부를 보라.

이들 역시 뛰지 않고 천천히 움직이며 일하지 않던가. 우리가 일 차 산업사회라 부르는 시절.

발로 뛰지도, 걷지도 않고 서서 노동하는 시대도 있다. 발은 오직 대지에 서 있기만 해도 되는 시대, 공장의 노동자는 하루 종일 서서 일한다. 서서 기계를 조작하고, 서서 기계를 수리하고, 서서 물품을 검사한다. 자동차 생산 라인을 한번 유심히 살펴보아라. 어디 뛰어 다니는 노동자가 있던가. 어디 걷는 노동자가 있던가. 그는 오직 한자리, 한 위치에 서서 컨베이어가 가져다 주는 소재를 기계로 조작할 뿐. 우리가 이 차산업사회라 부르는 시절.

아예 뛰지도, 걷지도, 그리고 서지도 않고 일하는 시대는 또한 어떤가. 앉아서 일하는 그 시대. 드디어 발의 용도가 불필요해진 시대가 온 것이다. 드디어 손만으로 일하는 시대가 온 것이다. 은행에 가 보아라. 모두 앉아서 손으로만 일하지 않던가. 손으로 돈을 세고, 손으로 장부를 기록하지 않던가. 앉아서 운전하는 자동차, 앉아서 설계하는 건축사. 우리가 삼 차 산업사회라 부르는 시절.

아아. 그런데 지금 우리는 손가락만을 움직여서 일하려 한다. 발로 뛰지도, 걷지도 않고, 손을 움켜쥐지도 않고, 앉아서 단지 손가락만을 튕겨서 일하려 한다. 손가락만으로 집고, 손가락만으로 만지고, 손가락 끝으로 튕기고, 드디어 손가락을 가리키는 일. 컴퓨터 작업을 보아라. 앉아서 단지 손가락 끝으로 '툭'

치지 않던가. 손가락으로 명령어를 가리키기만 하지 않는가. 예전에 우리 선조가 모두 발로 하는 일을 이제는 손가락 끝으로만 하게 되었다.

그러나 손은 항상 허공에 있는 것, 허공에 매달려 있으면서 또 허공을 지향하는 것, 컴퓨터를 치는 손가락이 지향하는 공간도 실은 가상의 공간, 사이버 공간이다. 그 건강한 경험의 공간, 살아 있는 실체의 공간을 벗어나 우리는 지금 허상의 공간, 관념의 공간으로 나아가려 한다. 대지의 세계에서 허공의 세계로 날아가려 한다.

대지로 돌아가자. 대지 위를 달리고, 대지 위를 걷고, 대지 위에 굳건히 서서 사는 그 건강한 삶이 그립지 아니한가. 대지와 어울려 싱그러운 땀방울을 흘려 보자. 대지는 성스런 어머니의 땅, 내게 생명을 주고, 내게 사랑을 가르쳐 주고 나를 키워준 그곳을 우리의 두 발은 굳건히 딛고 서야 한다.

발은 땅을 딛어야 한다.

고향은

고향은 누군가 기다려지는,
야트막한 산등성이 있어 고향이다.

그 산등성 너머 흰 연기를 토하고 달리던 하오 두 시
완행열차의 기적이 있어 고향이다.

기적 끊긴 적막한 겨울 오후, 긴 날개의 그림자를 땅 위에 드리우며
하루 종일 하늘을 맴돌다가 사라지던 솔개가 있어 고향이다.

솔개를 좇아 불현듯 줄을 끊고 산 너머로 달아나버린 연, 그 연을 찾으러
함부로 뛰어다니던 언덕이 있어 고향이다.

머리 희끗희끗
한번 떠난 고향으로 다시 돌아오는 길은

멀었다.

먼 항구의 불빛과 낯선 거리의 술집과 붉은 벽돌담과 교회당의 뒤뜰을 걸어서

그 언덕에 다시 섰는데

왜 이제는 이다지도 기다릴 사람이 없는가.

고향은 누군가를 기다릴 수 있어

고향이다.

고향의 봄은 항상 아름다워서 좋았다.

뒤 울의 하이얀 면사포를 뒤집어 쓴 오얏나무는 부끄럼이 많은 새 신부, 문간의 분홍 두루마기를 한껏 뽐내어 걸친 살구나무는 능청 맞은 새신랑, 시새움 때문인가. 이를 바라보는 앞마당의 수국, 모란, 작약, 영산홍들도 앞다투어 꽃잎을 함쑥 고개 너머 밀어올리는데 어느새 날라온 꾀꼬리 한 쌍 미루나무 가지에서 어색한 이 장면을 노래로 무마하고……

5월의 봄밤은 또 얼마나 향기롭던가. 날이 저물기 전부터 매달아 둔 연등이 하나 둘 불을 밝히기 시작하면 우리들, 이종 누이 오빠들은 왠지 모르게 가슴 설레이면서 이모와 어머니의 손목에 이끌려 절에 올라 탑돌이를 하였다. 지치면 우리끼리 꽃숲 아래 앉아 누가 이기나 가위, 바위, 보, 아카시아 잎 따기. 그

러나 아카시아 향기보다도 더 향긋한 사촌 누이들의 그 머리카락 냄새.

고향의 여름은 항상 그리움이 있어 좋았다.

참외가 노오랗게 익을 무렵에는 방학이 시작되고 그땐 남몰래 가슴을 설레어야 했다. 방학 때면 가끔 내려오던 그 서울 소녀, 먼 친척벌 되는, 유난히 목이 희고 긴 누이는 올 때 마다 내게 동화책을 가져다 주었다. 원두막에 걸터 앉아서 그네가 책을 읽어주면 나는 그네의 곁에서 파도 소리들 듣고, 강둑 잔디밭에 앉아서 내가 그네에게 들꽃으로 목걸이를 만들어 주면 그네는 먼 하늘의 무지개를 보고…… 그네가 서울로 돌아가는 날, 행여 다시 오지 않을까 마음 졸이며 나는 다시 기다림을 키워야 했다.

여름밤의 하늘은 또 얼마나 많은 별들이 반짝였던가. 저것은 수수 할미, 저것은 베틀 할미, 저것은 견우, 저것은 직녀……. 어린 시절 할머니는 모깃불을 지핀 마당의 평상에 나를 안고 앉아서 잠들지 못한 내게 밤하늘의 별자리를 하나 둘 가리켜 주셨다. 앞으로 빛나야 할 밤하늘의 내 별자리에 대해서도…….

고향의 가을은 항상 너그러움이 있어 좋았다.

바람이 불면 온 들은 황금의 벼 이삭들로 물결을 이루었다. 앞산의 밤나무들은 저절로 알밤을 쏟아내고 그 옆 밭둑에 줄지어 선 감나무들도 노오랗게 익은 감들을 주렁주렁 매달고…… 곧 이어 추석이 되면 누가 잘 빚었는가 솜씨를 자랑하려 집집마다 돌리는 송편. 나는 초봄의 송홧가루를 꿀과 함께 버무려 찍어낸 다식을 특히 좋아했다.

추석은 누구에게나 무엇이든지 주어서, 무엇이든지 받아서 좋았다. 작년 여름 뒷마을의 무실네와 도망친 춘식이가 돌아와 용서를 빌어도, 소식을 끊고 살던 서울의 칠복네가 알거지로 돌아와도 고향의 가을은 항상 너그러웠다.

고향의 겨울에는 항상 따뜻함이 있어 좋았다.

한겨울, 온 세상은 살얼음 에는 추위에 떨어도 양지바른 언덕의 고향집 뜨락은 얼마나 햇빛이 따사롭던가. 그 툇마루에 걸터앉아 한나절 햇빛을 쪼이고 있노라면 토방 아래 짚풀에선 갓난 강아지들 어미 품에 앉겨 새근새근 잠들고 이를 지켜보는 누렁이의 측은한 눈빛, 어느새 참새 몇 마리도 날아와 내 곁에서 일광욕을 즐기는 데 여념이 없고……

눈보라 치는 밤에는 화롯가에 모여 윷놀이를 즐겼다. 밖에는 하얀 눈이 소복소복 쌓이는데, 화로에 파묻은 밤은 실없이 펑펑 튀어 오르는데 아랫마을 종 할머니댁 마실 간 어머니 못 돌아 오실라 못 돌아 오실라 걱정하는 마음은 이종 사촌들과 함께 웃고 떠드는 동안 이미 잊힌지 오래. 지쳐 잠들면 나는 어느새 강아지 새끼 되어 어머니의 따뜻한 품에 안겨 있었다.

이제는 아름다움도, 그리움도, 사라져버린 이 황량한 서울에서 고향을, 나를 키워준 어머니를 새삼 다시 돌이켜 본다.

홀로가 아니랍니다

홀로라니요,

울 밑의 작약이

겨우내 언 흙을 밀치고 뾰족이

새움을 틔울 때

거기서 당신의 부드러운 손길을 보았는데요.

홀로라니요.

뒤란의 청포도가

푸른 하늘을 닮아 알알이

익어갈 때

거기서 당신의 눈빛을 보았는데요.

홀로라니요.

뜰의 국화가

노오란 그 꽃잎을 함빡

터뜨릴 때

거기서 당신의 향기로운 입김을 맡았는데요.

홀로라니요.
홀로 이 세상을 어떻게 살아갈 수 있겠습니까,
뒤꼍의 소나무가
눈밭에 솔방울 하나를 툭 던질 때
거기서 당신의 말씀을 들었는데요.

하늘이 이렇게 푸르른 날,
내 어찌 당신 없이 홀로
이 세상을 살 수가 있겠습니까.

홀로 되었다고, 홀로서 이루었다고 자랑하지 마라.

이 세상에 홀로 되는 것은 없느니 홀로 모든 것을 이루었다고 자만하는 것은 우매한 생각이다. 살아 있는 모든 것들은 항상 누구에겐가 기대며 사는 것, 기대어 태어나고 기대며 성숙한다. 벼는 벼끼리, 나무는 나무끼리, 풀잎은 풀잎끼리 어우러져 산다.

어디 살아 있는 목숨뿐이랴. 생명 없는 사물들도 제 각각 몸 기댈 상대가 있느니 물은 산을 기대어 휘감고 산은 물에 의지해 우뚝 선다. 소리는 공기를 좇아 울리며, 빛은 허공을 따라 빛난다. 이 세상에서 홀로 된 것은 없는 법 그러므로 현명한 자는 자신을 자랑하기에 앞서 겸허한 마음으로 입은 은혜를 갚으려 노력할진저.

밭에 뿌려진 씨앗 한 알을 보아라. 엎어져 있건 모로 누워 자건 그가 뿌리를 내려 싹을 틔울 수 있었던 것은 바람으로부터 그를 감싸준 밭고랑의 덕이다. 추위로부터 그를 안아준 흙구덩이의 덕이다. 둔덕에 떨어진 탓으로 바람에 날려 사막의 모래벌판으로 실려갔다면, 맨땅에 떨어진 탓으로 추위를 못 견뎌 얼음으로 파묻혔다면 더 이상 그는 보리가 될 수 없었을 것을. 땅에 떨어진 씨앗은 아무 것도 아닌 한낱 흙구덩이에 기대어 산다.

항상 하늘을 우러러 조금씩 키를 보태는 담장의 나팔꽃을 보아라. 가시덤불이건, 수수깡 울이건 그가 여린 새순을 감아 꾸준히 태양을 향해 나아갈 수 있었던 힘은 그를 지탱해준 울타리의 덕이다. 그에게 울타리가 없었더라면, 그를 곧추세워 줄 울대가 없었더라면 '만세' 태양을 향해서 손을 흔들 수 없었을 것이며 하늘을 향해 뚜뚜 나팔을 불 수 없었을 것이다. 갓 피어난 나팔꽃 새순도 썩어 부스러진 울타리나마 기댈 수 있어야 키울 수 있는 그 향일성.

푸르름을 자랑하는 겨울의 참대를 보아라. 사람들은 그 청청한 절개를, 그 꿋꿋한 기상을 칭찬하지만 참대 홀로 푸르름을 지킬 수 있는 것은 결코 아니다. 숲을 이루어야 참대는 살고 언덕에 기대어야 숲은 이루어지는 것, 참대는 아무 데서나 자라지 않는다. 아무 데서나 겨울을 이기지 못한다. 찬바람을 막아주는 남향받이 언덕에서, 햇빛 잘 드는 양지바른 언덕에서 참대는 비로소 참대가 되는 것이다. 푸르른 기상을 살릴 수 있는 것이다.

겨울 강변에 가 보았는가. 거기서 당신은 외로운 목선 하나 홀로 밧줄에 묶여 있는 것을 보았을 것이다. 대숲처럼, 보리처럼 목선도 그 누구에겐가 몸을 기대지 않고서는 추운 겨울을 날 수 없는 것. 따뜻하게 체온을 나누지 않고서는 외로움을 견딜 수 없는 것이다. 옆의 갈대 숲은 강둑에 몸을 기대고, 갯벌을 바장이는 게들은 갈대 숲에 또 몸을 기대고……

그러므로 홀로 되었다고, 홀로서 이루었다고 자랑하지 마라.

이 세상에 홀로 되는 것은 없느니 홀로 모든 것을 이루었다고 자만하는 것은 우매한 생각이다. 살아 있는 모든 것은 항상 누구에겐가 기대며 산다. 기대어 태어나고 기대며 성숙한다. 벼는 벼끼리, 나무는 나무끼리, 풀잎은 풀잎끼리 어우러져 산다.

어디 살아 있는 목숨뿐이랴. 생명이 없다는 사물들도 제 각각 몸을 기댈 상대가 있느니 물은 산을 기대어 휘감고 산은 물에 의지해 우뚝 선다. 소리는 공기를 좇아 울리며, 빛은 허공을 따라 빛난다. 이 세상에서 홀로 된 것은 없는 법 그러므로 현명한 자는 자신을 자랑하기에 앞서 겸허한 마음으로, 먼저 입은 은혜를 갚으려 노력할진저.

음악

잎이 지면
겨울 나무들은 이내
악기가 된다.
하늘에 걸린 음표에 맞춰
바람의 손끝에서 우는
악기樂器,

나무만은 아니다.
계곡의 물소리를 들어보아라.
얼음장 밑으로 공명하면서
바위에 부딪혀 흐르는 물도
음악이다.

윗가지에서는 고음이,
아래가지에서는 저음이 울리는 나무는
현악기,

큰 바위에서는 강음이
작은 바위에서는 약음이 울리는 계곡은
관악기.

오늘처럼
천지에 흰 눈이 하얗게 내려
그리운 이의 모습이 지워진 날은
창가에 기대어 음악을
듣자.

감동은 눈으로 오기보다
귀로 오는 것,
겨울은 청각으로 떠오르는 무지개다.

인간이 연주하는 것만을 음악이라 하지 마라.

인간의 목소리로 노래되는 것만이, 인간의 악기로 들려주는 것만이, 인간의 악보로 불려지는 것만이 음악은 아니다. 음악은 인간을 벗어난 자연에게도, 우주에게도 있는 것, 아니 진정한 음악은 우주가 연주하는 관현악 바로 그 자체다.

귀를 열고 풀잎 소리를 들어보아라. 귀를 열고 강물 소리를 들어보아라. 산이 우는 소리를, 바다가 내지르는 소리를, 별들이 따라 부르는 소리를. 장엄하고 아름다운 음악이, 부드럽고 신비한 노래가 귀에 쟁쟁히 울려오지 않던가. 만일 그렇지 않거든 당신의 귀는 닫혀 있는 것이다. 진정한 음악은 열려진 귀로만 들을 수 있는 것, 육신의 귀가 멀쩡하다고 해서 모든 음악을 들을 수 있는 것은 아니다. 귀를 열어라. 건강한 귀가 들을 수 없는 음악을 귀머거리 베토벤은 들었다. 진정한 음악은 영혼의 귀로 듣는 것이다.

인간이 연주하는 것만을 음악이라 하지마라.

인간도 우주라는 교향악의 한 파트를 맡은 주자. 아니 관현악을 구성하는 하나의 악기일 따름이다. 하늘을 보아라. 하늘은 관악기, 그중에서도 트롬본이나 수자폰일지도 모른다. 먼 하늘에서 울려오는 우렛소리, 수자본의 그 둔탁한 해음, 호수를 지나가는 소낙비 소리, 클라리넷의 경쾌한 멜로디, 맑은 하늘에서 번쩍 번개와 함께 치는 천둥, 날카로운 트럼펫 소리. 귀를 열고 하늘의 음악을 들어 보아라. 오늘의 연주는 어떻던가.

나무들도 각자 하나의 악기, 우주의 음악을 연주한다. 바람의 손끝에 매달려 우는 나무는 현악기. 높은 가지에서는 고음이, 낮은 가지에서는 저음이 어울려 내는 그 단아한 실내악. 봄바람 분다. 파르르 떠는 잎새들의 비올로 연주. 가을바람 분다. 헐벗은 가지들이 켜는 바이올린 G선, 겨울바람 분다. 뿌리째 우는 첼로의 저음, 아아 몰아치는 태풍이다. 숲들이 연주하는 저 비극의 서곡. 귀를 열고 나무들의 음악을 들어 보아라. 오늘의 연주는 어떻던가.

계곡의 흘러가는 물도 한 파트의 연주이다. 작은 물줄기에서는 고음이 큰 물줄기에서는 저음이 울리는 계곡은 건반 악기, 흐르는 물에 맞추어 돌들도 투명한 금속성을 낸다. 조약돌에게서는 명랑한 실로폰 소리가, 자갈들에게서는 아름다운 피아노 소리가, 커다란 바위에서는 낮게 울리는 북소리가 들린다. 그러나 오늘은 장마로 물이 불었다. 아, 운명의 제1악장. 귀를 열고 계곡의 물소리를 들어보아라. 오늘의 연주는 과연 어떻던가.

바다도 관현악의 한 파트를 맡고 있다. 때로는 주제 멜로디를, 때로는 보조 화음을 되풀이하는 그 바다. 바다는 거대한 풍금일지 모른다. 바람이 분다. 파도가 친다. 작은 파도의 고음과 큰 파도의 저음을 함께 어울러 바다가 켜는 파이프 오르간, 밀물이 들 때의 그 장엄한 미사곡과 썰물이 날 때의 그 처연한 장송곡. 귀를 열고 바다의 음악을 들어 보아라. 오늘의 연주는 어떻던가.

우주는 한 개의 거대한 교향악, 각자는 그중 한 파트를 맡고 있을 뿐이다. 귀를 열고 우주의 음악을 듣자. 우리가 해야 할 일, 가장 아름다운 소리로 가장 아름다운 화음을 이루어 내는 일. 하늘에 걸린 악보, 저 별들의 운행에 맞추어 우리의 악기를 연주하자. 우리의 파트를 연주하자.

열매

세상의 열매들은 왜 모두
둥글어야 하는가.
가시나무도 향기로운 그의 탱자만은 둥글다.

땅으로 땅으로 파고드는 뿌리는
날카롭지만,
하늘로 하늘로 뻗어가는 가지는
뾰족하지만
스스로 익어 떨어질 줄 아는 열매는
모가 나지 않는다.

덥석
한입에 물어 깨무는
탐스런 한 알의 능금
먹는 자의 이빨은 예리하지만
먹히는 능금은 부드럽다.

그대는 아는가,
모든 생성하는 존재는 둥글다는 것을
스스로 먹힐 줄 아는 열매는
모가 나지 않는다는 것을.

둥근 원圓은 생명을 기른다.

둥글게 살아라. 둥근 원은 사랑을 담지만 곧은 선線은 상처를 입힌다. 그래서 원만圓滿한 성격이라고 하지 않던가. 모난 돌이 발길에 채인다고 하지 않던가. 그러므로 둥근 것은 모두 부드럽고 아름답다. 여자가 그렇고, 꽃이 그렇고, 호수가 그렇다. 그러므로 모난 것은 모두 거칠고 위험하다. 날카로운 칼이, 뾰족한 창끝이, 깍아지른 절벽이 그렇다. 당신은 둥근 달을 바라보며 소원을 빈 적이 있었을 것이다. 그러나 이지러진 초승달에게 그래 본 적은 없지 않은가.

둥근 원을 깨뜨리지 마라. 깨진 원은 토막난 선線이 된다. 식탁에서 밀려 바싹 깨지는 그릇, 깨진 그릇은 이내 칼이 된다. 흙에 묻힌 사금파리, 번득이는 그 증오의 시선. 당신은 유년 시절 가끔 사금파리에 발바닥을 벤 적이 있었을 것이다. 숨어서 복수를 노리는 그 예리한 칼날에 의외로 입은 상처. 피를 흘리는 맨발을 감싸 안고 운 적이 있었을 것이다. 아아, 그것은 이미 따뜻한 한 덩이 밥을 담는 그릇이 아니다. 당신의 심장을 겨누는 칼.

깨뜨리지 마라. 깨진 그릇은 칼이 된다.

둥근 원은 생명을 기른다.

식탁에 놓인 한 덩이 빵을 보아라. 생밀이나 보리나 부서진 가루는 가루일 뿐 인간은 부서진 가루를 먹지는 않는다. 신이 흙으로 인간을 그렇게 만들었듯이 물에 반죽하고 불에 익혀서 공기로 둥굴게 부풀려야 비로소 먹게 되는 빵. 식은 보리 빵이든, 갓 구어낸 밀 빵이든, 빵은 둥글지 않고서는 빵이 될 수 없다. 인간은 둥글어야 먹는 것이다. 한술의 밥도, 한 덩이의 빵도, 한 모금의 물도 둥근 그릇에 담겨지지 않고서는 먹을 수 없는 것.

둥근 원은 생명을 기른다.

알을 보아라. 보금자리에서 어미 새의 품에 안긴 그 따뜻한 알을 보아라. 모든 알은 둥글다. 둥근 까닭에 알은 생명을 기를 수 있는 것이다. 당신은 새가 왜 하늘을 날으려 하는지 아는가. 우주가 하나의 거대한 알임을 깨달았다면 굳이 대답하지 않아도 되리라. 당신은 왜 고기가 물 속에서 사는지를 아는가, 바다에 출렁이는 물이 둥근 지구의 양수羊水임을 깨달았다면 굳이 대답하지 않아도 되리라. 우주가 낳은 알, 지구를 닮은 까닭에 새들은, 고기들은 알에서 생명을 기를 수 있는 것이다.

둥근 원은 생명을 기른다.

과목果木의 무르익은 과일을 보아라. 레몬이건, 오렌지건, 우리 나라의 감이나 배 혹은 능금이건 모든 과일은 둥글다. 허기진 목숨을 싱그런 한 모금의 즙으로 회생시키는 과일, 과목은 낙엽활엽교목落葉闊葉喬木이든 상록침엽교목常綠針葉喬木이든, 넝쿨나무든, 떨기나무든 그 열매만은 둥글다. 심지어 가시나무도 향기로운 그의 탱자만은 둥글다. 땅으로 땅으로 파고드는 뿌리는 날카롭지만, 하늘로 하늘로 뻗어가는 가시는 뾰족하지만 스스로 익어 떨어질 줄 아는 열매는, 스스로 충만한 생명은 모가 나지 않는다.

둥근 원은 생명을 기른다.

여자를 보아라. 신이 만든 이 지상의 가장 아름다운 존재, 여자를 보아라. 모든 여자는 내부에 둥근 원을 지니고 있다. 아니 둥근 모습을 하고 있다. 그 아름다운 가슴의 원, 그 아름다운 둔부와 허리의 곡선, 그러나 진정 여자의 둥근 원은 그의 자궁에 있다. 그 안에서 무럭무럭 자라는 태아. 사람들은 아이를 꼭 껴안은 어머니의 둥근 어깨를 이 세상에서 가장 아름답다고 한다. 성스럽다고 한다. 둥근 우주가 둥근 지구를 낳고, 둥근 지구는 둥근 어머니를 낳은 것이다.

둥근 원은 생명을 기른다.

둥글게 살아라. 둥근 원은 사랑을 담지만 부서져 생긴 선線은 상처를 입힌다.

담배

담배를 먹는다고 한다.
왜 먹는 것일까
담배는 음식과 구분된다.
궐련이건, 시가건
젓가락을 대신해
검지와 중지로 집는 담배,
담배는 연기를 먹는 것이 아니라 실은
불을 먹는 것이다.
한 모금
— 후욱 —
가슴속으로 빨아들이는 불,
육신은 밥으로 살지만
정신은 불로 산다.
용암을 빨아들여
화안히 등불을 켜든 꽃처럼
내 원고지의 빈 칸을 밝히는

하늘의 불,

태초에

천상의 불을 훔친 프로메테우스가

맨 처음

이 지상에서 했던 짓은 아마도

담뱃불을 붙이는

일이었을 것이다.

남자는 불을 먹고 사는 동물이다.

남자는 불을 먹고 여자는 불을 지킨다. 남자는 불을 만들고 여자는 불씨를 간직한다. 남자는 항상 밖으로 불을 내지르려 하고 여자는 안으로 불을 모두려 한다. 방화放火로 타오르는 불길은 남자의 소행이지만 화로에 담겨서 보존되는 불은 여자의 정성이다. 태초에 하늘에서 불을 훔친 프로메테우스는 남자였다고 하지 않던가. 그러나 그 불을 꺼트리지 않고 대대로 지킨 베스타Vesta는 정녀貞女, 즉 여자였다. 우리의 전통에서도 항상 가문의 불을 지키는 소임은 종가宗家의 종부宗婦.

남자는 불을 좋아 한다.

당신도 유년 시절에 불장난을 좋아했을 것이다. 부모가 외출하고 홀로 집에 남게되면 자신도 몰래 꺼내는 성냥, 불을 켜서 아무 것이나 주위에 있는 것을 한번쯤 태워보았을 것이다. 태우

다가 한번쯤 집에 불을 낼 뻔한 적이 있었을 것이다. 밤에 잠을 자다가 요에 오줌을 찔끔 누워 본 적이 있는 당신. 그리하여 방화범은 거의 전부가 남자라고 하지 않던가. 여자는 없다고 하지 않던가. 남자는 불장난을 좋아한다. 모든 전쟁은 남자가 저지른 불장난, 히틀러나 나폴레옹은, 알렉산더나 칭기즈칸은 자신의 이부자리에 역사상 가장 많은 양의 오줌을 눈 남자들이었을 것이다.

남자는 밭을 갈고 여자는 아이를 키운다. 성서聖書에서도 아담은 경작의 수고를, 이브는 출산의 고통을 가져야 한다고 했다. 원죄만은 아니다. 남자는 불을 얻기 위함이요 여자는 불을 지키기 위함. 그러므로 보다 정확히 표현하자면 남자에게 있어 원죄의 형벌은 불을 만들어야 하는 일. 여자의 그것은 그 불을 지켜야 하는 일이다.

남자가 밭을 가는 것은, 남자가 경작의 수고를 감내해야 하는 것은 불을 얻고자 함에 있다. 불을 만들고자 함에 있다. 땅 속엔, 땅 속 깊은 지층엔 영원히 타오르는 불, 뜨겁게 들끓고 끝없이 용출하는 용암이 있기 때문. 그러므로 남자가 밭을 간다는 것은, 실은 땅 속에 숨어 있는 불을 꺼낸다는 것이다. 그가 어떻게 땅에서 불을 캐던가. 밭에서 자라는 곡물을 보아라. 채소를 보아라. 그들은 땅 속 깊이 뿌리를 내려 함쑥 용암을 빨아 올리지 않던가. 불을 빨아올리지 않던가. 남자가 밭에 나가 일을 한다는 것은 곧 불을 만들어 낸다는 것이다.

그러므로 남자의 끽연을 탓하지 마라. 남자가 끽연을 즐긴다고 해서 여자까지 덩달아 할 필요는 없다. 그것은 연기를 들이마시기 위함이 아닌 것, 실은 불을 마시는 것이다. 남자는 불을 먹기 위해 담배를 핀다. 그러므로 남자의 음주를 탓하지 마라. 남자가 음주를 즐긴다고 해서 여자까지 덩달아서 할 필요는 없다. 술은 불 타는 물, 남자가 술을 마심은 실은 불을 마신다는 것이다. 아아, 불을 먹는 것은 남자의 생리인 것을…… 담배를 핀다고, 술을 마신다고 탓할 것 없다.

남자는 불을 내지르려 하고 여자는 불씨를 지키려 한다. 그러나 여자는 그 불씨를 어디에 보존하고 있던가. 가슴엔가, 머리엔가, 눈동자엔가. 아니다. 여자는 여자의 깊은 곳, 아래의 그 가장 깊은 곳에 항상 불씨를 숨겨둔다. 자궁은 생명의 화로, 그런 까닭에 남자는 여자의 깊은 곳을 항상 엿보려 한다. 들어가고자 한다. 그 곳에서 불을 만들어 내고자 고심하는 것이다.

남자는 불을 먹고 사는 동물이다.

불은 단지 물질이 아니라 생명의 힘, 남자는 생명을 만들기 위해서 항상 불을 먹는다. 불을 만든다.

나무(2)

나무도 기실 그렇게 해서
새끼를 치는 것이다.

겨울 산,
후미진 계곡을 찾아가 보아라.
나무와 나무가 벗은 몸으로
한데 엉클어져 있는 것을

두툼한 눈을 뒤집어 쓴 채
살과 살을 맞대고 누워 있는 나목裸木
겨울은 나무들의 밤이다.

봄은 그들의 아침.

신방 이곳 저곳에서는
기상하는 나무들의 기침 소리가

들린다.
…… 쨍 ……
계곡의 얼음장 깨지는 소리.

지난가을,
벗어던진 낡은 옷 대신
각기 연록색 새 옷으로 갈아 입은 신부는
새 아침
창문을 연다.

어느 틈에
언 땅을 헤치고
뾰족히 움을 틔우는
어린 나무들의 새순.

산은 아무래도 여자라 해야 할 것 같다. 장부의 거동을 태산으로 비유하지만, 장부의 기상을 태어난 산의 정기로 묘사하지만 아무래도 산은 여자라고 해야 할 것 같다. 산은 어머니처럼 모든 것을 품에 안고 감싸지 않던가, 어머니처럼 모든 것을 낳고 기르지 않던가. 산은 계곡과 절벽과 언덕을 감싸 안는다. 물과 바위와 흙을 감싸 안는다. 산은 수풀과 짐승과 새들을 기른다. 꽃과 열매를 기른다. 그뿐이랴, 봉우리는 흰 구름을, 계곡은 안개를 감싸 안고, 언덕은 바람을 감싸 안는다. 그리하여 어떤 시인은 청산青山이 그 무릎 아래 지란芝蘭을 기르듯 우리는 우리의 새끼들을 기를 수밖에 없다고 노래하지 않았던가.

한 지어미가 그의 새끼를 갖기 위해서 지아비의 품에 안겨야 하듯 산도 그의 새끼를 기르기 위해선 지아비의 품에 안겨야 한다. 산도 인간처럼 결혼을 하고, 신방을 차려야 그 기를 새끼를 얻을 수 있는 것. 움트는 어린 나무를, 벙그는 꽃을, 피어나는 새순을, 새와 짐승을……. 어린애가 소녀가 되고, 소녀가 처녀가 되고, 처녀가 새색시가 되어야 아기를 갖듯, 진정한 여자가 되듯, 산도 새색시의 산이 되어야 진정한 산이 되는 것이다.

봄비로 축축이 젖는 봄 산을 가 보아라. 겨울 산의 기다림이 거기 있다. 그의 가슴에 타오르는 그리움을 철쭉이라 부르다가, 그의 가슴에 타오르는 사랑을 진달래라 부르다가 끝끝내 돌아앉아 버린 산, 산은 밤하늘의 별만을 진실이라 믿지만, 초록으로 벙그는 육신을 가슴에 안고 홀로 어떻게 사나. 기다림의 절정에서 터지는 격정, 봄비는 얼어붙은 육신에 실없이 스며드는데 와르르 무너지는 산사태.

녹음이 무르익은 여름 산을 가 보아라. 그 터질 듯 부푸는 가슴을 감싸맨 채 뺨과 뺨을, 입술과 입술을 스스럼없이 부벼대는 저 물오른 나무들의 무성한 잎새들을 보아라. 타오르는 정열을 어쩌지 못해 건듯 부는 바람에도 짜릿짜릿 몸부림치지 않던가.

여름 산은 관능으로 달아오른 여인의 들뜬 육신이다. 가슴에서부터 허리를 감돌아 허벅지로 내리는 계곡의 물, 아아. 폭포다. 그러나 쾌락의 절정에서 터져 나오는 그 탄성, 채 추스리지 못한 그 육체의 신음.

비 온 뒤 아른아른 안개 피어오르는 여름 산에 가 보아라. 면사포를 뒤집어 쓴 산을 볼 수 있을 것이다. 수줍어 하는 얼굴과 바람에 산들 나부끼는 그 정결한 머리칼, 산뜻한 용모도 어제의 그것이 아니다. 아까 몰아치던 그 소나기는 신랑을 맞을 신부의 샤워였구나. 검은 구름의 커튼에 숨어서 알몸으로 목욕하던 물소리였구나. 산은 안개의 면사포를 둘러쓴 채 이제 신방에 들려 하고 있다.

곱게 물든 잎이 하나 둘 떨어지기 시작하는 가을 산에 가 보아라. 신방에서 신랑을 맞는 신부의 고운 모습을 볼 것이다. 노랑 저고리 다홍치마의 그 현란한 초례복을 하나씩 벗어버리고 마침내 알몸이 되어 쓰러지는 신부의 그 황홀한 자태, 가을 산은 단풍의 절정에서 나뭇잎을 하나씩 떨어트리고 드디어 헐벗은 나목이 된다.

흰 눈 소복이 덮힌 겨울 산의 후미진 계곡을 가 보아라. 나무와 나무가 벗은 몸으로 한데 엉클어져 있는 것을 볼 것이다. 두툼한 눈의 이불을 뒤집어 쓴 채 살과 살을 맞대고 누워 있는 나목. 나무는 후미진 계곡에서 그들의 신방을 차리고 있는 것이다. 겨울은 나무들의 밤, 그리고 봄은 그들의 아침.

나무(3)

나무가 쑥쑥 키를 올리는 것은
밝은 해를 닮고자 함이다.

그 향일성向日性

나무가 날로 푸르러지는 것은
하늘을 닮고자 함이다.
잎새마다 어리는
그 눈빛

나무가 저들끼리 어울려 사는 것은
별들을 닮고자 함이다.
바람 불어 한세상 흔들리는 날에도
서로 부둥켜안고 견디는 그
따뜻한 가슴.

나무가 촉촉이 수액을 빨아올리는 것은
은핫물을 닮고자 함이다.
한 생명이 다른 생명에게 흘려준
몇 방울의 물

가신 우리 어머니가 그러하시듯
산으로 가는 길은 하늘 가는 길

나무가 날로 푸르러지는 것은
하늘 마음, 하늘 생각 가슴에 품고
먼 날을 가까이서 살기
때문이다.

나무는 최선을 다하며 산다.

그러므로 불평을 하지 않는다. 자신의 처지를, 자신의 불운을 남의 책임으로 돌리지 않는다. 제 생긴 대로, 제 할 대로 주어진 환경에서, 주어진 상황에서 오직 최선을 다할 뿐이다. 돌밭에 떨어진 씨앗은 돌 틈에서, 습지에 떨어진 씨앗은 습지에서, 풀밭에 떨어진 씨앗은 풀밭에서 아무 불평 없이, 아무 변명 없이 홀로 뿌리를 내린다. 옥토로 불려가지 않았다고, 녹지에 떨어뜨리지 않았다고 바람을, 짐승을 탓하지 않는다.

산록에서는 청청한 삼림을 이루는 나무, 마른 땅에서는 무성한 관목을 이루는 나무, 절벽에서는 엉클어진 덩굴을 이루는 나무, 사막에서는 날카로운 선인장을 이루는 나무, 나무는 자신의 타고난 운명을 가장 아름답게, 가장 슬기롭게 극복할 줄 안다. 서서 살 수 없다면 누워서라도 생명을 꽃 피우는 겨울 산봉우리의 눈잣나무를 보아라.

나무는 항상 감사하는 마음으로 산다.

자신에게 주는 것이 적든 크든 나무는 항상 주는 것을 감사한다. 태양이 주는 햇빛에 감사해 줄기를 향일성으로 키우고, 대지가 주는 수액에 감사해 뿌리는 땅을 지향하고 하늘이 보내준 바람에 감사해 잎새들을 허공에 하늘거린다. 눈 내리면 덮어쓰고, 비 내리면 적시고, 안개 끼면 감싸이면서 항상 제자리, 제 본분을 지키는 나무.

나무는 항상 베푸는 마음으로 산다.

꽃나무든, 과일나무든, 무성한 삼림이든 이 지상의 나무들은 항상 자신의 모든 것을 남에게 준다. 자연의 은총으로 태어났으니 자연으로 돌아가는 것처럼, 자연의 혜택으로 자랐으니 그 자연에게 바치는 것처럼……. 그의 꽃은 아름다운 심성을 가꾸어 주고, 그의 과일은 생명을 길러주고, 그의 뿌리는 병든 목숨을 구해준다. 더 이상 아무 것도 갖지 않을 때 나무는 마지막으로 자신의 육신마저 목재로 바친다. 항상 베푸는 즐거움으로 산다.

나무는 나와 남을 구분치 않으며 산다.

같은 산에 어울리는 서로 다른 나무들을 보아라. 상록교목常綠喬木과 낙엽교목落葉喬木이, 상록관목常綠灌木과 낙엽관목落葉灌木이 한데 어울러 내는 저 장엄한 산의 관현악, 바람이 불면 온 산의 나무들은 한가지로 화음한다. 고지대의 나무는 높은 목소리로, 저지대의 나무는 낮은 목소리로……

큰 주목 밑에, 작은 자작, 작은 자작 밑에, 덤불 숲 철쭉, 덤불 숲 철쭉 밑에, 갓 자란 다복솔, 그 다복솔 밑에 수줍게 숨은 이끼와 버섯, 나무는 크고 작음을 구분치 않고, 힘이 세고 적음을 가리지 않고, 주고받는 것에 괘념치 않고 한가지로 어우를 줄을 안다. 한 나무의 가지에 둥지를 튼 새들과 밑둥에 굴을 판 짐승과 잎새에 집을 진 벌레들을 보아라.

나무는 아름답게 산다.

나무가 자신의 온 정성을 바쳐 피워올린 꽃들을 보아라. 각양각색의 모습을 지닌 그 아름다움, 그러나 그들은 결코 남을 미워하지 않는다. 그 누구에게도 질투하지 않는다. 사막에 피는 꽃은 사막의 꽃으로, 들에 피는 꽃은 들꽃으로, 산에서 피는 꽃은 메꽃으로 오직 자신만의 색깔을 간직하고 있을 뿐. 자신만의 향기를 뿜고 있을 뿐. 그러나 한곳에 모일 때의 그 현란한 조화, 자연스레 꽃밭을 이루어 하나가 될 줄을 안다.

누가 나무는 땅에서만 자란다고 하던가. 인간도 그 마음 깊은 곳에서는 항상 나무 하나를 키우며 사는 것이다.

물의 사랑

인간이 불로 어두움을 밝힌다면
자연은 그것을 물로 밝힌다.
계곡은 하나의 거대한 도시,
수맥의 전류로
휘황하게 타오르는 색색의 꽃들을 보아라.
어떤 것은 길가의 가로등으로 서 있고 어떤 것은 주택의
조명등으로 켜 있고 또 어떤 것은 상가의
네온사인으로 반짝이지만
모든 꽃은
물로 달구어진 필라멘트다.
등꽃 가로등 밑을 분주히 오가는 토끼 자동차,
아카시아 조명등 아래서 야근하는 일벌 노동자,
백목련 탐조등을 따라 막 이륙하는 뻐꾹 비행기,
포플러 높은 가지 위의 관제탑에선
까치의 교신이 한창이다.
물질이 불로 사는 짐승이라면

생명은 물로 사는 기계,
인간도 이와 같아라.
사랑 또한 나와 너 사이를 흐르는
수맥이 아니던가.

등불은 인간만이 밝히는 것이 아니다.

인간은 어둠을 불로 밝힌다. 산골과 농촌과 도시를 보아라. 갓 짠 동백기름으로 밝히는 등잔, 백랍 밀기름으로 밝히는 촛불, 석유로 밝히는 호롱불, 가스로 밝히는 램프, 전기로 밝히는 각양의 전등. 수은등, 백열등, 형광등, 네온등, 오존등, 할로겐등……. 등불이 없다면 심지어 장작으로 화톳불을 놓아 어둠을 밝히지 않던가. 그러나 어둠은 인간만이 밝히는 것이 아니다. 꽃들을 보아라. 계곡은 하나의 거대한 도시, 거기 자라는 모든 꽃들과 나무들도 실은 색색의 등불들을 밝히고 있는 중이다. 어떤 것은 주택의 실내등으로 매달려 있고, 어떤 것은 길가의 가로등으로 서 있고, 어떤 것은 상가의 조명등으로 누워 있고, 어떤 것은 공장의 경비등으로 비추고 있다.

계곡에 어우러져 피어 있는 철쭉은 실내등, 길가의 흐드러진 벚꽃은 가로등, 담장의 요란하게 핀 넝쿨 장미는 경고등, 현란한 꽃밭은 상가의 조명등, 담 너머로 키를 불쑥 내민 해바라기는 탐조등, 물 위에 떠 있는 연꽃은 항구의 선박등, 언덕의 망초 꽃들은 먼 아파트 단지의 창에서 아스라이 스며 나오는 불빛들의 군락. 꽃들도, 나무들도 이처럼 등불을 밝히고 있는 것이다.

등불은 인간만이 밝히는 것이 아니다.

자연도 등불을 밝히는 것, 인간은 불로 어둠을 밝히지만 그들은 다만 물로 등불을 밝힐 뿐이다. 꽃을 보아라. 호롱불이 그 심지를 통해 석유를 빨아올리듯, 램프가 관으로 가스를 끌어들이듯, 전등이 전선을 통해 전류를 끌어들이듯, 나무도 꽃도 그 줄기를 통해 수액을 빨아올린다. 그러므로 모든 꽃들은 실은 물로 달구어진 필라멘트. 물로 타오르는 형광등이다.

꽃들은 그들의 전류를 수맥에서 끌어들인다. 얽히고설킨 지상의 전선처럼 땅 위와 땅 속에 얽혀 있는 그 수많은 수맥, 강물은 개울로 갈라지고, 개울은 개천으로 갈라지고, 개천은 지하의 수맥들로 연계된다. 그리고 그 수맥에 뿌리를 뻗는 이 지상의 꽃과 나무. 각 가정과, 상가와, 공장이 전선에서 전류를 공급받아 전등을 불 밝히듯, 지하의 수맥에서 공급된 수액으로 꽃들은 환하게 불을 밝힌다. 자연은 물로 밝히는 불빛들의 세계.

때론 고여 있기도 하지만 그러므로 이 지상에 흐르는 물은 사실 뜨거운 전류일지도 모른다. 전선을 관류하는 전기처럼 크고 작은 수로를 이루어 흘러가는 물, 땅 위의 강물들이 배전선이라면 지하 수맥들은 송전선이다. 호수는 변전소, 아아, 고압 전류다. 폭포로 쏟아지는 물을 받아 평형으로 되돌리는 호수의 변압. 급류를 타고 흐르는 물은 호수에 이르러서 드디어 안정을 찾는다.

발전소는 어디 있는가. 돌돌 돌아가며 밤낮 없이 육신을 괴롭히는 저 사랑의 전원電源은 어디 있는가. 지구의 중심, 들끓는 용암으로부터 끊임없이 솟구쳐 오르던 그 샘의 원천은……. 그러므로 이 지상의 각양의 꽃들은 전등이다. 수맥에서 공급된 전류로 불 밝히는……이 지상의 동물들은 각색의 자동차들이다. 배터리에 저장된 물로 엔진을 돌리는…… 이 지상의 밀밭들은 거대한 식품 공장이다. 고압의 강물에서 동력선을 끌어들인…… 아아, 살아 있는 모든 것들은 물로 움직이는 기계들이다.

등꽃 가로등 밑을 분주히 오가는 토끼 자동차, 아카시아 조명등 아래서 야근하는 일벌 노동자, 백목련 탐조등을 따라 막 이륙하는 뻐꾹 비행기, 포플러 높은 가지 위의 관제탑에선 까치들의 교신이 한창이다. 물질이 불로 사는 짐승이라면 생명은 물로 사는 기계.

인간도 이와 같아라. 사랑 또한 나와 너 사이를 흐르는 강물이 아니던가.

도시의 사내

이빨을 닦다 말고 물끄러미 들여다본
거울 속의 얼굴,
치약이 반쯤 흘러내린 입술 사이로
반짝
송곳니가 빛난다.
툭 튀어나온 턱에 유달리 날카로운 눈,
내 얼굴일까,
어젯밤 장롱 속의 문갑을 쏠던
쥐 낯짝, 아니면
여우?
아침에 일어나 맨 먼저
이빨을 닦는다.
상대의 폐부 깊숙이 찌를 한마디
말을 위하여
날카롭게 이빨을 간다.
철 늦게 돋아 앓기만 하던 사랑니는 이미

빼버린 지 오래,

오늘도 하루의 사냥을 위하여

칼을 갈듯 이빨을 가는

출근길

도시의 사내.

도시인이란 외로운 사냥꾼일지도 모른다.

차라리 농부라면, 일정한 장소에서 경작하는 농부라면 다르겠지만 도시인은 여전히 외로운 사냥꾼. 옛날 그 옛날 선사시대의 우리 선조들이 야생의 동물들을 수렵해 살아가듯 오늘의 도시인들도 문명한 짐승들을 수렵하며 산다. 가족과 자신의 생존을 위해 온 종일을 헤매는 도시인의 외로움.

도시는 하나의 거대한 사냥터, 상가는 울창한 밀림, 거리는 깊은 계곡, 빌딩은 깎아지른 절벽, 공원은 샘이 있는 숲 속의 쉼터, 그 도시에 숨어 있을 사냥감을 찾아 오늘도 이른 새벽 집을 나선다. 사냥에 필요한 무기와 지도를 들고, 숙련된 시각과 청각에 의지해서, 오랜 기간 쌓아올린 지식과 교활해진 꾀를 좇아 빌딩의 절벽을 건너 뛰고 상가의 숲 속을 뒤지고, 지하철 계곡을 더듬는다.

어제의 사냥은 실패했다. 다 잡았다가 놓친 그 날랜 먹잇감, 날쌔게 품에서 빠져나간 그 산토끼, 잡은 즉시 한입에 덥썩 덜

미를 물어, 한입에 함쑥 앞다리를 물어 쓰러뜨려야 했을 터인데, 무딘 어금니를 책망해도 이미 속절없는 실수다. 무딘 발톱을 원망해도 이미 엎질러진 물.

다른 날보다 오늘은 양치질을 오래한다. 보다 꼼꼼히 한다. 어제의 실수를 되풀이하지 않으려고, 어제의 낭패를 다시 당하지 않으려고 무딘 어금니의 날을 세운다. 엉성한 치아를 예리하게 다진다. 한입에 급소를 물어 사냥감을 쓰러트릴 수 있도록, 한입에 물은 먹이를 놓치지 않도록……. 선조들도 그렇지 않았던가. 예전의 원시인들도 아침마다 이빨을 갈지 않았던가. 틈나는 대로 사자가 어금니를 갈듯, 멧돼지가 송곳니를 갈듯, 코뿔소가 뿔을 갈듯……. 이빨의 날을 더 세우기 위하여, 이빨의 날을 오래 더 보존하기 위하여 틈나는 대로 질겅질겅 껌을 씹는다. 생쥐가 이빨을 갈듯……

이빨을 닦다 말고 물끄러미 들여다 본 거울 속의 얼굴, 치약이 반쯤 흘러내린 입술 사이로 반짝 송곳니가 빛난다. 툭 튀어나온 턱에 유달리 날카로운 눈, 내 얼굴일까, 어젯밤 장롱속 문갑을 쏠던 쥐 낯짝 아니면 여우? 아침에 일어나 맨 먼저 이빨을 닦는다. 출근길을 서두르는 도시의 남자.

오늘의 화장은 더욱 힘을 들인다. 더욱 정성 들인다. 날랜 짐승을 쫓기 위해서는 바지가 더 좋지 않을까. 아니 함정으로 유인하기 위해선 속살이 내비치는 미니스커트가 낫지 않을까. 현란하고 자극적인 속옷으로 갈아입어야겠다. 머리를 풀어 헤쳐

사자 흉내를 내본다. 머리를 틀어 올려 꽃뱀 흉내를 내본다. 아무래도 이 시대의 실세는 IMF, 맞붙어 싸우고 명예퇴직을 당하기보다는 똬리를 틀고 기다리는 뱀이 더 현명하겠다. 출근길, 날렵하게 스커트를 걸치고 거울 앞에 서보는 도시의 여자. 무슨 탈을 쓸까, 붉은 루주를 입에 물고, 우는 얼굴 위에 그려 넣는 웃는 얼굴, 슬픈 얼굴 위에 그려넣는 기쁨의 얼굴.

잠자리에선 일어나자마자 몸을 푼다. 팔다리를 엮어보고 몸을 비틀고 머리를 사타구니에 처박고…… 체조라 하든, 요가라 하든, 선도仙道라 하든 하여간 아침에 몸을 푸는 것은 걸린 덫에서 빠져나오는 예행연습, 최대한 몸을 낮추어 거꾸로 보는 세상은 온통 함정이다. 내 덫에 걸린 사냥감은 온전할까, 덫에 걸렸을 내 사냥감을 도둑 맞지 않기 위하여 남보다 일찍 서두르는 출근길, 한 손엔 지도 삼아 조간신문을 든다. 오늘도 덫 놓기 가장 좋은 길목을 찾기 위하여 다른 손엔 휴대폰을 든다. 덫에 걸리면 긴급히 구조를 요청하기 위하여…….

오늘의 도시는 자본의 사냥터, 만인이 만인을 먹이로 삼는 자본주의의 사냥터, 차라리 짐승을 사냥했던 원시가 그립지 아니한가. 자연의 밀림이 그립지 아니한가.

학교

봄 반은 미술 시간,
스케치하는 손놀림이 부지런하다.
목탄으로 그리고 지우고……
어느새 캔버스엔 한 세상의 윤곽이
떠오른다.
이제는 붓 끝으로 툭 쳐
사물들을 하나씩 잠에서 깨울 차례
파아란 물감 풀어 하늘,
초록 물감 풀어 산, 그리고
노오란 물감 풀어 들,

여름 반은 체육 시간,
세상은 커다란 운동장이다.
시끌벅적
숲들이 벌이는 한 마당의 씨름판,
헐레벌떡

바다로 달려가는 강물들의 뜀박질,
교정의 한 모퉁이에선 쫓고 쫓기는
짐승들의 술래잡기가 한창이다. 그리고
일순의 폭우, 그 상쾌한 샤워,

가을 반은 독서 시간,
여기 저기 온통 글 읽는 소리다.
풀잎은 풀잎대로, 숲은 숲대로, 개울은 개울대로
스산한 갈바람에 목청을 실어……
오늘은 베짱이와 매미의 순서다.
이야기의 주인공은 태양과 달, 그리고
은하 건너 멀리 떠난 별들의 로맨스,

겨울 반은 시험 시간,
이제 더 이상 배울 것은 없다.
밤새 싸락눈 내려
세상은 하이얀 한 장의 백지,
그 여백에
무엇을 쓸까, 망설이는데
아아, 갈잎처럼 북풍에 날려버린
나의 답안지.

세상 사는 일이 무엇이던가.

어떤 이는 나그네길이라 한다. 여행은 길을 따라 걸어가는 것, 맨발로 걷든, 기차나 비행기를 타고 가든 길을 좇아 어딘가를 돌아다니는 것. 그러나 길을 걷는다고 해서 모두가 여행이 될 수는 없다. 여행이란 뚜렷한 목적 없이 이곳 저곳을 구경하면서 유람하는 일, 목적이 있어 가는 길을 여행이라 하지는 않는다. 출근길을, 사업상의 출장을 여행이라 할 수 없지 않은가.

그러므로 여행은 목적도, 목적지도 없이 그저 구경 삼아 세상의 풍정을 두루 살펴보는 일이다. 굳이 목적이 있다면 그 자체를 즐기거나 체험하는 일이요, 목적지가 있다면 집 떠남, 바로 그것이다. 모든 여행은 집에 돌아옴으로써 끝나기 때문이다. 설악산이나 제주도를 간다 해도 그 역시 유람의 한 과정, 여행의 목적지라 부르는 것은 실은 유람의 한 과정일 따름이다. 선택된 하나의 도정道程일 뿐이다.

굳이 있다면 죽음이 있을 뿐, 인생에는 그 어떤 목적지가 있을 수 없다. 집에 돌아옴으로써 여행의 모든 일정이 끝나듯 인생 역시 그를 세상에 내보낸 바로 그 무無로 돌아감으로서 모든 것이 끝난다. 나그네의 목적이 유람 그 자체에 있는 것처럼 인생의 목적 역시 사는 그 자체. 그러므로 한 사람의 일생을 평가함에 있어 그가 무엇이 되었는가를 묻지 말고 그가 어떻게 살아왔는가를 물어라. 그가 무엇을 이루었는가를 묻지 말고 그가 어떤 노력을 기울였는가를 물어라.

인생은 나그네길, 따라서 여행의 중요성은 빨리 혹은 늦게 가는데 있는 것이 아니다. 명소에 가는 것도, 오지에 가는 것도 아니다. 그가 선택한 도정이 얼마나 아름답고 즐거웠는지, 그의 걸어가는 길이 얼마나 값지고 뜻 있는지에 달려 있을 뿐. 그리하여 걸어야 할 올바른 길을 가리켜 흔히 도道 혹은 도리道理라 하지 않던가. 다도茶道란 맛있는 음료를 먹는 일이 아니다. 기도棋道란 바둑 두어 이기는 일이 아니다.

세상 사는 일이 무엇이던가.

혹자는 그것을 나그네길이라지만 나는 학교 가는 일이라 말하고 싶다. 세상은 하나의 큰 학교, 인생이란 그 학교에서 공부하는 학생이다. 그러니까 입학이란 탄생, 졸업이란 임종臨終. 어떤 이는 졸업식 때 우등생이나 공로상, 혹은 개근상을 받을 것이고, 어떤 이는 단지 졸업장을 받을 것이고, 또 어떤이는 낙제를 할 것이고, 또 어떤 이는 중도에서 퇴학을 맞기도 할 것이다. 그러나 이 모두는 재학 중 자신이 할 탓, 그의 일생은 죽음 앞에서만 평가된다.

봄 반은 미술 시간, 스케치하는 손놀림이 부지런하다. 목탄으로 그리고 지우고……. 어느새 캔버스엔 한 세상의 윤곽이 떠오른다. 이제는 붓 끝으로 툭 쳐 사물들을 하나씩 잠에서 깨울 차례, 파아란 물감 풀어 하늘, 초록 물감 풀어 산, 그리고 노오란 물감 풀어 들. 여름 반은 체육 시간, 세상은 커다란 운동장이다. 시끌벅적 숲들이 벌이는 한 마당의 씨름판, 헐레벌떡 바다로 달려가는 강물들의 뜀박질, 교정의 한 모퉁이에선 쫓고 쫓기는 짐승들의 술래잡기가 한창이다. 그리고 일순의 폭우, 그 상쾌한 샤워,

가을 반은 독서 시간, 여기 저기 온통 글 읽는 소리다. 풀잎은 풀잎대로, 숲은 숲대로, 개울은 개울대로 스산한 갈바람에 목청을 실어…… 오늘은 베짱이와 매미의 순서다. 이야기의 주인공은 태양과 달, 그리고 은하 건너 멀리 떠난 별들의 로맨스, 우주는 한 권 미완의 소설. 겨울 반은 시험 시간, 이제 더 이상 배울 것은 없다. 밤새 싸락눈 내려 온 세상은 하이얀 한 장의 백지, 그 여백에 무엇을 쓸까, 망설이는데 아아, 갈잎처럼 북풍에 날려버린 나의 답안지.

학생부군신위學生府君神位, 나 죽어 누군가 묻는다면 성적은 미달이었으나…… 한 세상 좋은 학교였다 말하리라.

꽃씨는 손으로 심는다

짙푸른 녹음은 얼마나 무서운가.
메뚜기 한 마리 날지 않는 그
절대의 침묵은…….
우리는 그것을 잘 자란 보리밭이라고 말한다.
잡초 한 그루 허용치 않는 초록은 동색同色
그 무성한 여름을 위하여
트랙터는 사정없이 부드러운 흙을 뒤집어엎고
고엽제를 연무처럼 뿌려대지만
아니다.
꽃씨는 손으로 심는 것,
꽃들은 결코 동색일 수 없다.

컴퓨터를 버리고 펜을 잡는다.
아직도 펜을 들어야만 써지는
나의 시.

흙은 슬프다.

소외 당한 흙은, 버려진 흙은, 이용 당하기만 하는 흙은, 짓밟히기만 하는 흙은 서글프다. 외롭다. 섭섭하다. 싱그런 작물을 키워서 우리들의 영양을 공급해주는 흙, 신선한 샘물을 흘려서 우리들의 갈증을 풀어주는 흙, 아름다운 꽃을 피워서 우리들의 마음을 밝혀주는 흙, 푸르게 우거진 숲으로 우리들의 생명을 감싸 안는 흙, 그러나 흙은 항상 짓밟히기만 해서, 이용 당하기만 해서 슬프다.

왜 우리는 흙과 담을 쌓고 살아야만 하는가. 왜 우리는 사랑으로 흙을 대하지 않는가. 왜 우리는 흙의 그 보드랍고 따듯한 품에 안기기를 싫어하는가. 원래 우리는 흙에서 태어나 흙으로 살았다. 맨발로 맨땅을 밟고 살았다. 맨발로 어머니의 그 포근한 가슴에 뛰어들어 안겼다. 그러나 지금은 아무도 맨발이 되기를 거부한다. 누구나 두툼한 구두를 신고 우리들의 어머니, 흙을 짓밟으며 산다. 신을, 구두를 신는다는 것은 흙을 맨살로 대지 않겠다는 것, 흙과 담을 쌓겠다는 것이다. 더 이상의 흙의 사랑은 거부하겠다는 것이다. 사랑하는 사람이 어디 맨살의 감촉을 거부하던가.

원래 우리는 흙에서 태어나 흙으로 살았다. 맨몸으로 대지에 포근히 안겨 살았다. 산에서 사는 짐승들을 보아라. 산만이 아니라 공중의 나는 새나, 물 속의 헤엄치는 고기들을 보아라. 그들은 지금도 맨몸으로 이 대지에 안겨 살고 있지 않은가. 대지에 안겨 살고 있는 까닭에 그들은 또한 항상 평화와 안식을 누리지 않던가. 그러나 지금 우리는 아무도 알몸이 되려 하지 않는다. 알몸이 되어 이 대지에 안기려 하지 않는다. 두툼한 털가죽으로, 얍삭한 비단으로, 부드러운 천으로 몸을 가린 채, 흙을 멀리하며 산다.

원래 우리는 흙에서 태어나 흙으로 살았다. 흙으로 집을 짓고 흙 속에 누워서 살았다. 산에 사는 짐승들이나 공중의 새들을 보아라. 물 속의 고기들을 보아라. 그들은 지금도 흙으로 집을 짓고 살지 않는가. 그리하여 평화와 안식을 얻지 않는가. 그런데 우리는 지금 흙을 벗어나 우리끼리 살고자 한다. 시멘트와 철근으로 집을 짓고 벽돌과 철조망의 담을 쳐 흙을 제치려 한다. 흙을 버리려 한다. 흙이 없는 공간에서 싸우며 살고자 한다.

아아, 그런데 이제는 농부까지도 흙을 버리려 하는구나. 이 대지에 마지막 남은 흙의 아들, 누구보다도 흙을 사랑했던, 그리하여 우리가 모두 존경했던 농부까지도 흙을 버리려 하는 구나. 지금 그의 농토는 무섭도록 잘 자란 보리로 무성하지만, 무섭도록 짙푸른 녹음으로 출렁이지만 살찐 흙과 입맞춤하며 우리들의 순결한 사랑을 갈던 그 봄의 쟁기는 지금 어디 갔는가. 내 발등에 부서져 내리던 그 부신 햇살은, 손등으로부터 날아올라 푸른 하늘로 솟구치던 종다리의 노래는…… 그러나 이제 쟁기질하는 대지란 더 이상 없다. 더 이상 맨발로, 맨몸으로 흙과 한데 어우러져, 흙과 한데 안겨 땀 흘리는 농부란 없다. 트랙터가 이랑들을 갈아엎고 제초제가 김매기를 대신하는 우리들의 땅……. 밭둑엔 들꽃 하나 피지 않는데 유전자가 조작된 보리들만 잘 자라 무성하구나.

그리하여 짙푸른 녹음으로 가득한 우리들의 대지는 얼마나 무서운가. 메뚜기 한 마리 날지 않는 그 절대의 침묵은……. 우리는 잡초 한 그루 허용되지 않는 그 동색同色의 초록을 풍요로운 수확이라 말하지만, 잘 자란 보리밭이라고 말하지만. 그러나 과연 그런 것일까. 아니다. 그것은 흙의 분노, 인내를 포기한 그의 시퍼런 안색이다. 머지 않아 들이 닥칠 복수의 전조이다.

그러므로 이제 더 이상 흙을 슬프게 하지 마라. 분노케 하지 마라. 흙을 사랑하는 마음은 꽃씨를 심는 것과 같은 것. 꽃은 트랙터로 갈아 심지 않는다. 제초제를 뿌려서 기르지도 않는다. 꽃씨를 심듯 흙을 사랑하자. 꽃들은 결코 동색이 아니다.

능단금강반야바라밀경能斷金剛般若波羅密經

능단금강반야바라밀경能斷金剛般若波羅密經이더냐.
대방광불화엄경大方廣佛華嚴經이더냐.
경전을 앞에 두고 단정히 꿇어앉은
백두白頭 절벽絕壁의 서늘한
이마,
어제는 지면에 도화꽃 시나브로 지더니
오늘은 갈잎이 스산하구나.
명경지수明鏡止水 어리는 높푸른 하늘,
흰 구름 한 자락 가는 곳 어디인지
책장을 넘길 때마다 어두웠다 밝아지는
이승의 밤과 낮은 흐르는 강물인데
낭랑하게 경을 읽는
계곡물 소리.

강물과 마주하고
단정히 꿇어앉은 백두 절벽의 그

서늘한 이마.

본 것을 보았다 하지 말고 들은 것을 들었다 하지 마라.

감각으로 본 것은 본 것이 아닌 것, 감각으로 본 것은 믿을 수 없는 것, 진정한 실체는 육신의 눈으로서가 아니라 마음의 눈으로 보는 것이다. 마음으로 본 것은 안다는 것, 그러므로 진정하게 본다는 것은 또한 진정하게 안다는 것이다. 일단 만나 보고 결정한다고 하지 않던가. 만나 본다는 것은 외양을 바라 본다는 뜻이 아니라 그 내막을 알아 본다는 뜻이다. 그리하여 영어에서는 '나는 안다I know' 라는 말 대신에 '나는 본다I see' 라는 말을 쓴다. 불어에서도 '안다savoir' 는 원래 '본다voir' 라는 뜻이다.

당신은 가장 사랑하는 사람일수록, 가장 가까운 사람일수록 그 얼굴이 분명히 떠오르지 않아 당황한 적이 있었을 것이다. 가깝지 않은 사람은, 별 관심이 없는 사람은 그 모습이 또렷하게 기억되는데 오히려 사랑하는 사람은 그렇지가 못한 것이다. 그리하여 예쁜 그녀의 얼굴을 떠올리려 노력하다가 결국 실패하고 잠들어 버린 적이 한두 번 아니었을 것. 그렇다고 해서 당신이 그녀를 모르는 것은 아니다. 사랑은 눈으로 보아서 하는 것이 아니라 마음으로 알아서 하는 것이다. 눈으로 반해 사랑했던 사람이 쉽게 싫증을 내 헤어지는 경우를 우리는 너무나 자주 보지 않았던가.

그러므로 본 것을 보았다 하지 말고 들은 것을 들었다 하지 마라. 진정하게 본다는 것은 그 안을 들여다 본다는 것, 그 안을 들여다 본다는 것은 마음의 눈으로 본다는 것이다. 마음의 눈으로 보는 세상은 항상 의미로 충만해 있다. 마음의 눈으로 보는 세상은 항상 생명으로 활기차 있다. 마음의 눈으로 보는 세상은 항상 아름다운 시詩로 가득 차 있다. 그러므로 그 어떤 사소한 것이라 하더라도, 그 어떤 미워하는 것이라 하더라도 육신의 눈으로서가 아니라 마음의 눈으로 보도록 하여라.

당신은 등산을 하다가 깊은 계곡으로 깎아지른 절벽 하나를 만난 적이 있을 것이다. 천야만야한 그 낭떠러지 위에 서 있을 때의 느낌이 어떻던가. 갑자기 헛발을 디뎌 까마득한 밑바닥으로 떨어져 죽을 것 같지 않던가. 갑자기 돌 사태가 일어나 함께 굴러 떨어질 것 같은 공포감에 사로잡히지 않던가. 그러나 그렇지 않다. 마음의 눈으로 본 절벽은 육신의 눈이 보는 것처럼 단순히 절벽 그것만은 아니다. 죽음을 유혹하는 악마의 아가리만은 결코 아니다. 전율과 공포만은 아니다. 당신은 아마도 거기서 경經을 읽고 있는 수도자의 모습을 보았을 것이다. 능단금강반야바라밀경이던가 혹은 대방광불화엄경이던가. 경전을 앞에 두고 경건히 꿇어앉은 백두 절벽의 그 서늘한 이마. 앞에 펼쳐진, 광활한 들은 팔만의 경전이고 그 뒤에 버티고 선 준령은 넘어서야 할 구만의 법신法身이다. 불립문자不立文字 언어도단言語道斷 그 궁극의 깨달음을 위해 절벽은 한결같이 선정禪定에 들었다. 어제는 지면紙面에 도화꽃 시나브로 지더니 오늘은 갈잎이 스산하구나. 명경지수明鏡止水 어리는 높푸른 하늘, 흰 구름 한 자락 가는 곳 어디인지 경전을 한 장씩 넘길 때마다 어두웠다 밝아지는 이승의 밤과 낮은 흐르는 강물인데 낭랑하게 경을 읽는 계곡의 물소리, 바람 소리.

그러므로 본 것을 보았다 하지 말고 들은 것을 들었다 하지 마라.

감각으로 본 것은 본 것이 아닌 것, 감각으로 본 것은 믿을 수 없는 것, 진정한 실체는 우리 육신의 눈으로서가 아니라 마음의 눈으로 보는 것이다. 마음의 눈으로 보는 세상은 항상 의미로 충만하다. 아름다운 시로 가득 찬다.

4부

피는 꽃이 지는 꽃을 만나 듯

정답

정답을 찾아
펜을 굴리는
나의 여윈 손.

확신도 없이
그를 선택하기 위하여
너를 버린다.
답지엔 서투른 표시 하나,

인생에 정답은 없다는데
지금 얻은 답은
진실일까,
항상 틀리기만 하는
내 생애의 답.
답은 하나여야 하므로
고독하다.

날카롭고 곧은 연필처럼
살아왔다.
살을 깎는 칼날처럼 살아왔다.
당락의 순간 앞에서
악무는 입술,

그러나
내 생애 앞에 놓인 백지는
온통 여백이다.
허무의 공간에 쓰러지는
연필 하나,

부러진 칼 하나.

시간이 없다.

참 많은 시험들을 치며 살아 왔다.

입학 시험, 졸업 시험, 박사 시험, 자격 시험, 면허 시험, 취직 시험, 승진 시험 그러나 그 많은 시험들을 나는 용케도 통과했다. 어떤 것은 단번에, 어떤 것은 재수를 해 가면서……가장 여러번 낙방한 과목은 대한민국 제 2종 자동차 면허 실기 시험, 일곱번 떨어지고 여덟 번 째 드디어 합격했다. 참 많은 시험들을 쳤다. 면접 시험, 구술 시험, 실기 시험, 적성 고사……

그날 학교에 데리고 가기 전 이모는 나를 불러 전날에 복습한 내용을 다그치는 것이었다. 선생님이 올해가 몇 년이냐고 물으면 어떻게 대답할래? 초등학교 입학 면접 시험에 응할 나보도 더 가슴을 설레던, 꽃 같던 16세의 처녀, 나의 이모는 나를 꼬옥 껴 안고 다그치는 것이었다. 어떻게 대답할래? 응 어서 말해봐!…… 다시 따라서 해봐! 단기 4281년. 그렇다. 내 인생에 처음으로 시험을 치루던 그 해는 단기 4281년, 내 나이 만 여섯 살 되던 때, 나는 가슴에 하얀 손수건 하나를 달랑 달고 나비처럼 팔랑거리며 학교로 달려갔다. 이모의 고운 손을 놓아버린 채…… 그것이 앞으로 있을 얼마나 많은 시험의 서곡인지도 모른채……

낙방의 고배도 든 적이 있었던가. 일곱 번 떨어져서 여덟 번째 붙은 대한민국 제 2종 자동차 면허 실기 시험과 전주 사범학교 입학 제 2차 면접 시험, 일 차 필기 시험 합격으로 가능했던 사범학교의 이 두 번째 면접 고사 낙방은, 그리하여 다른 전기 고등학교에 응시할 기회조차 박탈해버렸던 그 불운은 나를 얼마나 좌절케 했던가. 썰물이 내린 격포의 갯벌에서 밤새워 떨어진 별들을 줍던 그 날을 나는 기억한다.

시험을 치르면서 인생을 살아왔다. 아니 인생이란 하나의 큰 시험일지도 모른다. 어떤 것은 좋은 성적을 맞아 기뻤고 어떤 것은 나쁜 성적이 나와 슬펐다. 합격의 당당함과 낙제의 그 좌절감, 그러나 대체로 평탄하게 통과한 내 인생의 시험들…….
이제 정년을 앞에 두고 과거를 돌아본다. 이로써 시험은 모두 끝인가. 이제 남은 여생을 답안지의 여백처럼 살아도 될 것인가. 수학과 영어 과목은 더 이상 내게 부담이 되지 않아도 되는 것인가. 아니다. 그렇지 않다.

나는 인생의 마지막 시험 하나를 더 치루어야 한다. 내가 맞은 맨 처음 시험이 이모의 손목에 끌려가서 치루어졌듯 이제 딸의 부축에 의지해서 치루어야 할 그 마지막 시험, 눈먼 오이디푸스가 안티고네의 손목을 잡고 방랑의 길에서 임종에 들듯 나도 내 어두운 눈을 딸에 의지해서 시험을 치루어야 한다. 아직 날짜는 확실하게 잡혀 있지는 않지만, 아직 시험 시간은 정해져 있지 않지만 분명한 건 학과목과 범주. 가을 어느 잎진 날, 과목이 무르익은 과일을 땅으로 툭 떨어뜨려야만 하듯 분명한 건 미상불 닥쳐올 그 시험.

외워서도 안 된다. 생각만으로도 안 된다. 공식만으로는 더욱 안된다. 요령으로는 안 된다. 써가지고 가서도 안 된다. 앞사람의 답안지를 훔쳐보면 더 더욱 안 된다. 그것은 다만 실천으로 보여야만 가능한 시험, 감동과 감탄과 눈물의 양만이 평가의 기준이다.

마지막 여름 햇빛으로 잘 익은 과원의 포도송이들을 보아라. 그것이 우리를 감탄케 한다. 해가 막 넘어가는 석양에 늙은 어머니를 등에 업고 소를 몰아 집으로 돌아가는 농부의 해맑은 눈동자를 보아라. 그것이 우리를 눈물 짓게 한다. 가을 산, 찬란하게 단풍 든 나무들의 고운 잎새를 보아라. 그것이 우리를 감동케 한다.

오늘 치루어야 할 과목은 '사랑.' 텅 빈 여백에 무엇을 쓸까. 정답이 없는 문제를 앞에 놓고 인생의 마지막 시험에 임한다. 답안의 채점은 오로지 당신의 뜻, 한 생애를 사는 동안 나는 무엇을 얼마나 사랑했을까.

1월

1월이 색깔이라면
아마도 흰색일 게다.
아직 채색되지 않은
신神의 캔버스,
산도 희고 강물도 희고
꿈꾸는 짐승 같은
내 영혼의 이마도 희고,

1월이 음악이라면
속삭이는 저음일 게다.
아직 트이지 않은
신의 발성법發聲法.
가지 끝에서 풀잎 끝에서
내 영혼의 현絃 끝에서
바람은 설레고,

1월이 말씀이라면
어머니의 부드러운 육성일 게다.
유년의 꿈길에서
문득 들려오는 그녀의 질책,

아가, 일어나거라,
벌써 해가 떴단다.
아, 1월은
침묵으로 맞이하는
눈부신 함성.

1월이 색깔이라면 아마도 흰색일 것이다.

텅 비어 있는 색, 백지라 하지 않던가. 백지란 쓰여지기를 고대하는 종이, 여백이라 하지 않던가. 여백이란 채워지기를 기다리는 공간.

1월의 산을 보아라. 그만 잎새를 버린 나무들 앙상하게 서 있는데, 바람만이 허허롭게 불고 있는데 온종일 바장이던 다람쥐는 어디 갔는가. 온 여름을 음악회로 지새우던 가수, 매미들은 또 어디 갔는가. 심술쟁이 뻐꾹새는…….

1월의 들을 보아라. 수확을 거둬들인 논에는 맨 흙만 알몸을 드러내고 있을 뿐이다. 물고랑에서 텀벙대던 숭어들은 몸을 숨기고 또 그 숭어를 고누던 황새도, 황새를 쫓던 허수아비도 지금은 간데없구나.

지금 텅 빈 1월, 산과 들에는 하이얗게 눈이 내린다. 온 세상 하얗게 하얗게 지워 다시 채색해야 될 당신의 캔버스. 신이 주신 텅 빈 캔버스. 여기 떨리는 손으로 연필을 잡아 형상들을 그려넣는다. 원근은 잘 잡혔을까. 너와 나의 구도는……. 떨리는 손으로 붓을 들어 물감을 풀어 넣는다. 이곳은 초록, 저곳은 빨강, 색상의 조화는 제대로 되었을까. 너와 나의 감정은…….

1월은 신이 주신 텅 빈 캔버스에 밑그림을 그려넣는 달.

1월이 소리라면 속삭이는 저음일 것이다.

막 발성이 되는 소리, 저음은 그러므로 사물과 언어가 만나는 몸짓. 그러나 고음은 조만간 사라져 허공으로 소멸할 소리. 사물과 만나 시작된 소리는 비상하여 끝내 허공중에 끝난다. 12월의 바람 소리를 들었는가. 허무의 공간에서 흩어지는 저 영혼의 휘파람 소리를……. 갈잎들을 날리며 앙상한 가지 끝에서 부는 12월의 바람 소리를. 그러나

1월의 바람은 낮게 분다. 낮은 목소리로 낮은 음성으로 분다. 그것은 사물과 언어가 만나는 소리, 사물의 잠든 영혼을 깨우는 소리, 흙 속의 새싹을 부르는 소리. 그러므로 여러분은 알 것이다. 어찌하여 사랑을 처음 고백하는 연인들은 낮은 목소리로 속삭이는가. 어찌하여 처음으로 고해하는 어린 양의 목소리는 낮은 옥타브인가……

지금 1월이 시작되는 대지에는 낮은 바람이 불고 바람에 깨어난 사물들은 풀잎처럼 드디어 소리를 내기 시작한다. 낮은 음성에서 시작하여 영혼을 발성하는 사물들이여, 이제 오선지를 준비할 때다. 어차피 삶이란 한 곡조의 음악, 높고 낮게 불러야 할 선율이 있고 이웃과 함께 해야 할 화음이 있다. 연주할 내용은 기악인가. 성악인가 혹은 실내악인가.

1월은 신이 주신 오선지에 선율의 첫 소절을 적어 넣는 달.

1월이 말씀이라면 어머니의 부드러운 육성일 것이다.

인간은 누구나 말씀으로 산다. 말씀으로 사랑하고 말씀으로 미워한다. 말씀으로 훈계하고 말씀으로 용서한다. 아, 사랑하는 자의 부드러운 음성과 미워하는 자의 그 거친 육성, 부드러운 음성은 세계를 부드럽게 만들지만 거친 음성은 또한 거칠게 만든다. 그러나 둘러보면 세상은 황막한 광야, 무너진 흙더미와 시든 풀잎과 얼음뿐인데, 거친 눈보라만이 휩쓸 뿐인데 사랑하는 사람의 음성은 어디 있는가. 또 사랑했던 사람의 음성은 어디 있는가. 이 세상에 태어나 최초로 들은 그 부드럽고 따뜻한 음성.

어머니, 유년의 꿈길에서 문득 당신의 음성을 들어봅니다. 새해 첫날 그 새하얀 아침, "아가 일어나거라. 머리가 하얗게 셀라."

1월은 부드럽고 따뜻한 어머니의 음성으로 세계를 껴안는 달.

이별

면도를 하다가
문득 거울에 비춰보는
나의 모습.
거울 속의 얼굴은
대머리다.
분명히 그는 내가 아니데,
"아빠"하고 부르는
딸의 음성,
내다보는 창 밖은
온통 부신 라일락이다.
지혜智惠야,
나의 어린 딸아,
인생이란 이별의 길이란다.
머리카락 하나씩 떨어질 때마다
하나씩 갖는 나의 이별,
이제 더 이상

빠질 머리카락이 없는 나는 마지막
'나' 와의 이별을 기다리는데
"아빠" 하고 부르는
어린 딸의 철없는 음성.

산다는 것은 무언가 하나씩 잃어간다는 것이다.

바람에 나무가 하나씩 잎새를 잃어가듯, 썰물에 바다가 갯벌을 서서히 드러내듯, 새벽 노을에 별들이 하나씩 스러지듯 산다는 것은 무언가 잃어간다는 것이다. 화려한 봄의 꽃들을 보아라. 그 꽃잎 시들기 위하여 피지 않던가. 그 잎새 떨어지기 위하여 피어나지 않던가. 그 열매 썩기 위하여 맺지 않던가.

당신은 무엇을 가졌는가. 당신의 금고 안에는, 당신의 장롱 안에는……. 돈인가. 보석인가. 유가증권인가. 돈은 당신의 것일 때 돈이다. 그러나 돈은, 보석은 당신이 누군가로부터 가져왔기 때문에, 누군가로부터 빼앗아 왔기 때문에 언제인가 또 누군가에게 빼앗길 수 있다. 하늘의 밝은 해를 보아라. 아침에 떠오르므로 또 저녁에 지지 않던가. 출렁이는 바다를 보아라. 오전에 물이 차오르므로 또 오후에 비우지 않던가. 돈은, 보석은 물질인 까닭에 언제인가 삭아 내릴 수 있다. 우리들의 육신이 그러하듯 세상의 모든 것은 흙으로 돌아간다. 그러므로 당신의 금고 안에 든 것은 진정 당신의 것이 아니다.

한때 당신의 금고 안에 많은 금전과 보석이 채워져 있었듯이 젊은 시절의 나의 가슴도 많은 것들로 채워져 있었다. 봄날 푸른 보리밭에서 솟아올라 마음껏 하늘을 비상하던 종달새가, 한여름 소나기 뒤에 떠오르던 그 찬란한 무지개가, 늦가을 석양빛을 받아 불 타던 단풍잎들이, 한겨울 몰아치던 그 사나운 눈보라가……. 그러나 지금 나의 가슴은 텅 비어 있다. 너를 만나면서 그 종달새는 날아가 버렸다. 너를 사랑하면서 무지개는 걷혀버렸다. 너를 기다리면서 단풍잎들은 하염없이 져버렸다. 아아 마침내 너를 잃으면서 그 사나운 눈보라마저 그쳐버렸다. 나의 가슴에는 지금 무엇이 남아 있는가. 쓸쓸하게 부는 바람.

가슴이 텅 비어버린 나는 누구인가. 어제의 나는 오늘의 나인가. 나는 과연 나인가. 오랫만에 거울을 들여다본다. 거기 한 사내가 물끄러미 나를 쳐다보고 있다. 수염이 텁수룩한 그 대머리 사내, 어디서 본 듯도 한 그 얼굴은 내가 아니다. 그런데 문득 정원에서 "아빠" 하고 부르는 어린 딸의 음성, "오냐" 하는 대답은 거울 속의 그가 한다. 아. 그는 나인 것이다. 실재와 현상이 다른, 기의와 기표가 다른 그는 나, 나 아닌 나.

젊은 날 싱싱하고 윤기 있던 그 많은 내 머리칼은 다 어디 간 것일까. 바람에 나무가 잎새를 하나씩 잃어가듯 먼 하늘로 날려갔을까. 썰물에 바다가 그 갯벌 드러내듯이 먼 은하로 실려갔을까. 새벽 노을에 별이 하나씩 스러지듯이 먼 어둠 속으로 흘러갔을까. 머리카락 하나씩 떨어질 때마다 하나씩 갖는 나의 이

별, 지혜야 사랑하는 나의 딸아, 아빠는 많은 것을 잃으면서 살아왔단다. 하나씩 사랑하는 사람들을 보내면서 살아왔단다. 너도 언제가는 아빠로부터 떠나갈 것을……. 창 밖 딸이 서 있는 정원은 온통 눈부신 라일락이다.

지혜야 나의 어린 딸아, 인생이란 이별의 길이란다. 머리카락 하나씩 떨어질 때마다 하나씩 갖는 나의 이별, 이제 더 이상 빠질 머리카락이 없는 나는 마지막 '나'와의 이별을 기다리는데 "아빠" 하고 부르는 어린 딸의 철없는 음성.

산다는 것은 무언가 하나씩 잃어간다는 것이다.

바람에 나무가 하나씩 잎새를 잃어가듯, 썰물에 바다가 갯벌을 서서히 드러내듯, 새벽 노을에 별들이 하나씩 스러지듯 산다는 것은 무언가 잃어간다는 것이다. 화려한 봄의 꽃들을 보아라. 그 꽃잎 시들기 위하여 피지 않던가. 그 잎새 떨어지기 위하여 피어나지 않던가. 그 열매 썩기 위하여 맺지 않던가.

강물

강물이 말하는 소리를 들었습니까, 강물도 만나는 이에게는 말을 합니다. 자갈밭을 만나면 간지럽다 깔깔, 웅덩이를 만나면 심심하다 웅얼웅얼, 벼랑을 만나면 무섭다고 와와, 세상의 모든 것은 만나야만 말을 합니다. 부딪치는 돌멩이나, 스치는 바람이나, 떨어지는 꽃잎에게 강물은 강물로 말을 합니다. 늦봄 어느날 내가 꽃잎으로 떠내려가던 저녁이었습니다. 갈대 우거진 기슭에서 나는 들었지요. 풍덩 별 하나 떨어지는 소리를, 별을 안고 뒤척이는 강물의 소리를, 그렇지만 그렇지만 그것만은 모릅니다. 그때 그 강물이 무엇이라 말했는지를,

님이여, 귀먹어 듣지 못하는 나의 사랑도 이와 같습니다. 눈멀어 보지 못하는 나의 시도 이와 같습니다.

귀를 기울여 저 소리를 들어보아라.

말은 새나 짐승이나 꽃만이 하는 것은 아닌 것, 인간만이 하는 것은 더욱 아닌 것, 가만히 귀 기울이면 하늘도 땅도 물도 서

로 말하는 소리가 들린다. 내통하는 소리가 들린다. 성경에도 "귀 있는 자 들어라"는 말이 있지 않던가. 그러나 닫힌 귀는 아무것도 들을 수 없다.

귀 있는 자는 막지 말고 항상 그 귀를 열어 놓아야 할지어다. 열어 놓지 않은 귀는 귀가 아닌 까닭에……. 잠궈 놓은 문이 문이 아닌 것처럼, 잠궈 놓은 문은 벽이 되어버리는 것처럼, 그러므로 귀를 막고 사는 자를 절벽이라 한다. 절벽은 앞산에 핀 진달래 웃음소리를 듣지 못해 절벽이다. 절벽은 뒷산에서 우는 뻐꾸기 울음소리를 듣지 못해 절벽이다. 절벽은 계곡의 얼음장 풀리는 소리를 듣지 못해 또한 절벽이다.

닫힌 귀는 어찌해야 열리는가. 닫힌 대문의 빗장은, 닫힌 마음은……, 주먹으로 두들겨 밀쳐야 하는가. 열쇠로 슬며시 따야 하는가. 도끼로 일격을 가해야 하는가. 아니다. 그것은 스스로 열려야 한다. 꽃들이 스스로 봉오리를 열듯, 구름이 스스로 하늘 문 열듯……

그러나 실은 꽃들은 정결한 이슬방울들이 연다. 구름은 정갈한 바람들이 연다. 그러므로 닫힌 귀여, 오늘부터는 꽃밭에 가서 맑은 이슬방울로 귀를 씻어라. 산에 올라 청아한 솔바람으로 귀를 씻어라. 피고 지는 꽃을 사랑하는 마음으로, 무심히 흘러가는 저 구름을 사랑하는 마음으로……

귀를 기울여 강물 소리를 들어보아라.

강물도 누구나 만나는 이에게는 말을 건넨다. 자갈밭을 만나면 간지럽다 깔깔, 웅덩이를 만나면, 심심하다 웅얼웅얼, 벼랑을 만나면 무섭다고 와와……. 그러나 갈잎이 어지럽게 휘날리는 가을 저녁, 별들이 무성하게 반짝이는 겨울 새벽, 강가에 나가보아라. 정작 강물과 속삭이고 있는 자는 잎새임을 알 것이다. 별임을 알 것이다.

여러분은 그때 수면에 동그란 파문을 일며 떨어지는 잎새 하나를 주어들고 속삭이는 강물 소리를 들을 수 있을 것이다. 꽃은 왜 피는 것인지, 꽃은 왜 지는 것인지, 한 세상 지나면 우리 뜬구름으로 만나자는 말, 여러분은 그때 풍덩 떨어지는 별 하나를 안고 뒤척이는 강물 소리를 들을 수 있을 것이다. 해는 왜뜨는지 해는 왜 지는지. 한 세월 지나거든 우리 흐르는 바람으로 만나자는 말, 이 슬픔 지나면 기쁨으로 만나자는 말.

그러므로 세상에서의 만남은 모두 예사로운 일이 아니다. 내 속눈썹을 적시는 봄비나, 내 빈 어깨에 내리는 싸락눈이나, 내 발부리에 채여 나뒹구는 돌멩이나 내 콧등을 무는 모기조차도 지금 내게 속삭이고 있는 것이다. 그들은 내게 무엇이라고 말하고 있는가. 그러나 사랑이 없는 자는 듣지를 못한다. 세상을 향해 마음의 문을 열자. 꽃봉오리가 정갈한 이슬방울로 그 꽃잎들을 열듯, 구름이 청아한 솔바람으로 하늘 문을 열듯……

저 소리를 들어보아라.

달빛이 눈처럼 하얗게 쏟아지는 야반 삼경에 절집 대문의 빗장을 잡고 저 계곡에 흐르는 강물 소리를 들어 보아라. 바람 소리를 들어보아라.

말은 새나 짐승이나 꽃만이 하는 것은 아닌 것, 인간만이 하는 것은 더욱 아닌 것, 가만히 귀 기울이면 하늘도 땅도 물도 서로 말하는 소리가 들린다. 내통하는 소리가 들린다. 성경에도 귀 있는 자 들어라는 말이 있지 않던가. 그러므로 닫힌 귀는 아무짝에도 쓸모가 없다.

11월

지금은 태양이 낮게 뜨는 계절,
돌아보면
다들 떠나갔구나,
제 있을 꽃자리
제 있을 잎자리
빈들을 지키는 건 갈대뿐이다.
상강霜降.
서릿발 차가운 칼날 앞에서
꽃은 꽃끼리, 잎은 잎끼리
맨땅에
스스로 목숨을 던지지만
갈대는 호올로 빈 하늘을 우러러
시대를 통곡한다.
시들어 썩기보다
말라 부서지기를 택하는 그의
인동忍冬,

갈대는
목숨들이 가장 낮은 땅을 찾아
몸을 눕힐 때
오히려 하늘을 향해 선다.
해를 받든다.

가을은 끝났다. 돌아보면 모두 어디로 떠나갔는지 찬란하게 피어나던 봄의 꽃들도, 싱싱하게 푸르던 여름의 녹음도, 황홀하게 타오르던 가을의 단풍도 이제 찾아볼 길이 없다. 나락을 거둬들인 논엔 검은 흙이 드러나고 벼 이삭 몇 개가 땅에 떨어져 멍청히 하늘을 바라고 있다. 논두렁의 그 무성했던 풀들도 시들어 누운 지 오래다. 여전히 찰랑대며 흐르는 강가의 들꽃도…….

그 쾌활하고 바지런한 참새들은 어디 갔는가. 음악처럼 하늘로, 하늘로 비상을 꿈꾸던 종다리는 어디 갔는가. 한에 울부짖던 소쩍새는, 굶주림에 지친 콩새는, 뻐꾸기는…… 모두가 떠나버린 들녘엔 마치 우리들의 잃어버린 자화상처럼 허수아비 하나 외롭게 서 있을 뿐이다. 이제 아무도 이 들녘을 찾아와주지 않는다. 곧 들이닥칠 겨울의 혹독한 추위를 피해 어딘가로 숨어버린 것이다. 낮추고 낮춘 목숨의 밑바닥에 누워서 패각에 몸을 움추린 빈 논바닥의 우렁이처럼.

가을은 끝났다. 이제는 겨울이다. 겨울은 바람과 얼음의 세상, 추위는 점령군처럼 온 천지를 내습하여 모든 살아 있는 것들을 백색의 파시즘으로 얼려놓는다. 더 이상 푸른 하늘을 바라다 볼 수 없다. 하늘은 이제 우리들의 이념이 아니다. 거기서 우리는 다만 얼음조각으로 부서져 내리는 우리들의 영혼을 바라다 볼 수 있을 뿐이다. 햇빛은 이제 우리들의 사랑이 아니다. 거기서 우리는 다만 싸늘하게 식어버린 우리들의 육신을 확인할 수 있을 뿐이다.

모든 파시즘이 자유 위에 군림하듯 겨울은 목숨 위에 그 자신 군림하고자 한다. 파시즘이 그 앞에 자유를 무릎 꿇리듯 겨울은 모든 존재의 머리를 조아리게 한다. 하늘을 향해 쑥쑥 뻗는 나뭇가지를 매서운 겨울바람이 가만두지 않는 것, 햇빛을 향해 움트는 나뭇잎을 겨울의 눈보라가 바라보고만 있지 않는 것, 지상에 똑바로 서 있는 존재들을 겨울의 추위가 새파랗게 얼리지 않고는 못 배기는 것도 모두 이 때문이리라. 그래서 이 땅의 모든 것들은 목숨을 부지하기 위하여 스스로 겨울의 추위 앞에서 자신들의 키를 낮추는지 모른다. 무릎 꿇고 자신들의 목숨을 그 앞에 내던지는지도 모른다. 시든 풀같이, 지는 잎같이, 움추린 패각의 우렁이같이…….

그러나 목숨이여, 폭력에 굴복하는 것이 사는 길은 아니다. 추위 앞에서 스스로 시들어 눕는 꽃이 사는 것은 아니다. 참다운 삶이란 자신을 지키는 것, 아니 자신의 이념을 꿋꿋이 받드는 것, 폭력에 굴복하여 연명하는 목숨이 아니라 죽더라도 폭력에 대항하는 목숨이다. 살아 있는 죽음보다 죽어 있는 삶, 죽음으로써 다시 사는 그것이 영원한 삶.

여러분들은 보았는가. 살얼음 에는 겨울의 강가. 꼿꼿이 푸른 하늘을 바라고 서 있는 갈대의 인고를, 모든 것들이 겨울의 추위에 굴복하여 무릎을 꿇을 때 오히려 자신의 태양을 받드는 그 고결한 의지를. 만일 여러분들이 이 겨울의 갈대를 보았더라면 아마 더 이상 '바람에 흔들리는 갈대' 에 대하여 이야기하지 않으리라. 발레리가 그러했던 것처럼 오히려 이렇게 말할 것이다.

"바람이 분다. 나는 이제 살아야겠다."

겨울 들녘에 서서

사랑으로 괴로운 사람은
한번쯤
겨울 들녘에 가볼 일이다.
빈 공간의 충만,
아낌없이 주는 자의 기쁨이
거기 있다.
가을걷이가 끝난 논에
떨어진 낟알 몇 개.

이별을 슬퍼하는 사람은
한번쯤
겨울 들녘에 가볼 일이다.
지상의 만남을
하늘에서 영원케 하는 자의 안식이
거기 있다.
먼 별을 우러르는

둠벙의 눈빛.

그리움으로 아픈 사람은
한번쯤
겨울 들녘에 가볼 일이다.
너를 지킨다는 것은 곧 나를 지킨다는 것,
홀로 있음으로 오히려 더불어 있게 된 자의 성찰이
거기 있다.
빈들을 쓸쓸히 지키는 논둑의 저
허수아비.

겨울 들녘을 가보았는가. 겨울 들녘에는 무엇이 있는가. 사람들은 대답할 것이다. 그곳엔 이미 아무것도 없다고……. 그 푸른 녹음도, 향기로운 꽃도, 황금 물결치는 벼 이삭들도 이제는 사라진 지 오래라고. 아마 그것은 사실일지도 모른다. 지난봄, 고운 노동이 땀 흘리며 씨앗을 뿌렸던 농토는 황량하게 알몸을 드러낸 채로, 지난여름 싱싱한 잉어 떼들이 그 생의 도약을 뽐내던 강물은 하얗게 얼어붙은 채로, 지난 가을 큰 키의 코스모스가 푸른 하늘을 바라던 언덕은 헐벗은 채로 그렇게 있을 테니까.

겨울 들녘은 텅 비어 있다. 그곳에는 체온을 얼리는 얼음과 살을 에이는 추위와 저 먼 망각의 피안으로 기억을 장례 지내는 수의壽衣, 하얗게 하얗게 내린 눈이 덮여 있을 뿐이다. 아! 그리고 그 차갑고 매서운 바람 미쳐 날뛰는 광인의 그 호소할 길 없는 외로움처럼 온 날 겨울 들녘을 쏘다니는 바람들의 세상, 과연 겨울 들녘에는 아무 것도 없어 보인다. 거기에는 이미 고운 노동의 땀도, 그 싱싱한 잉어 떼의 도약도, 하늘거리는 큰 키의 코스모스도.

그러나 참으로 겨울 들녘을 가보았는가. 가서 겨울이 어떻게 그 운명적인 시간과 맞서 싸우고 있는지를 본 사람이라면 아마 그는 쉽게 아무 것도 없다고 말하지는 않으리라. 거기에는 생의 근원적인 의미들이 가장 순결한 모습으로 숨쉬고 있기 때문이다.

사랑으로 괴로워하는 사람들은 한번쯤 겨울 들녘에 가볼 일이다. 아무 것도 없는 것이 오히려 있는 것보다 더 가득차는 것이 되는 역설, 빈 공간의 충만함이 거기 있다. 들판 가득히 넘실대던 황금 벼 이랑도, 과원 가득히 넘쳐나던 사과의 향기도, 밭고랑 가득히 피어나던 초록의 잎새들도 이제는 거기 없다. 그러나 그 대신 이 모든 것들을 무상으로 주어버린 대지의 넉넉함이 있다. 사랑으로 괴로워하지 말 일이다. 사랑은 대지의 생리처럼 아낌없이 모든 것을 주는 것, 자신을 비움으로써 얻는 충만한 행복이다. 가을걷이가 끝난 논바닥에 떨어진 낟알 몇 개의 평안을 본다.

이별을 슬퍼하는 사람은 한번쯤 겨울 들녘을 가볼 일이다. 영원이란 어디 있는가. 아니 영원한 만남이란 이 지상의 그 어느 곳에 있는가. 봄에 있는가. 여름에 있는가. 잎들이 볼과 볼을 비벼대는 꽃 덤불 속에도, 연인들이 살과 살을 비벼대는 열사熱砂의 그늘에도 그것은 없다. 영원이란 이 지상에 아예 없는 것, 그것은 꿈꾸는 자의 이마에만 있을 뿐이다. 만남은 항상 이별을 예비하는 것. 이별을 슬퍼하는 사람은 한번쯤 겨울 들녘을 가볼 일이다. 거기에는 지상에서의 만남을 하늘에서 영원케 하는 자의 안식이 있을 것이다. 먼 별을 우러르며 홀로 추위를 견디는 둠벙의 눈빛.

그리움으로 마음이 아픈 사람은 한번쯤 겨울 들녘에 가볼 일이다. 그리움이란 너를 지킨다는 것 그러나 너를 지킨다는 것은 곧 나를 지킨다는 것이다. 빈 들을 쓸쓸히 지키는 저 논둑의 허수아비, 홀로 있음으로 오히려 더불어 있게 된 자의 성찰을 그는 거기서 발견하게 될 것이다.

2월

'벌써' 라는 말이
2월처럼 잘 어울리는 달은 아마
없을 것이다.
새해맞이가 엊그제 같은데
벌써 2월,
지나치지 말고 오늘은
뜰의 매화 가지를 살펴보아라.
항상 비어 있던 그 자리에
어느덧 벙글고 있는
꽃,
세계는
부르는 이름 앞에서만 존재를
드러내 밝힌다.
외출을 하려다 말고 돌아와
문득
털 외투를 벗는 2월은

현상이 결코 본질일 수 없음을
보여 주는 달,
'벌써' 라는 말이
2월만큼 잘 어울리는 달은 아마
없을 것이다.

벌써 2월이라고 한다. 새해맞이가 엊그제 같은데. 채 설 기분이 가시지 않았는데. 아직도 무슨 일을 해야 할지 몰라 망설이고 있는데 이제는 벌써 2월이라고 한다.

어느새 한 달이 훌쩍 지났다고 한다. 1년의 12분지 1이. 한 계절의 3분지 1이 나도 모르게 그처럼 속절없이 흘러가버렸다고 한다. 이대로 가다간 안 되겠구나. 이대로 가다간 올 한 해도 망치겠구나. 달력을 찢던 손을 멈추고 문득 창 밖을 바라다 본다. 먼 산에는 아직도 하얀 눈이 쌓여 있고 하늘빛은 여전히 싸늘하다. 전깃줄에 매달린 참새들의 웅크린 깃털이 추워보인다.

뜰의 나무들도 예전의 모습 그대로다. 아무 것도 변한 것이라곤 없는 것 같다. 그런데도 한 달이 지나갔다고 한다. 이미 2월이라고 한다.

그러나 오늘 아침엔 잠시 짬을 내어 뜰의 매화 가지를 살펴보아라. 앙상한 목련 가지를 들여다 보아라. 멀리서가 아니라 가까이서, 남남으로서가 아니라 내 것으로, 표면이 아니라 깊이를, 현상이 아니라 본질을……. 그러면 당신은 '아 벌써' 라는 말에 실감을 느낄 것이다.

남남으로 볼 때는, 멀리서 관심 없이 지나쳐 볼 때는 여전히 앙상하고 메말라보였던 나목이지만 어느새 함빡 물이 오른 가지. 건드리면 툭하고 터져 나올 것 같은 꽃봉오리. 손가락을 대면 파란 물이 금세 묻어나올 것 같은 새순.

매화나무는, 목련은 아니 이 세상의 살아 있는 모든 것들은 이처럼 얼어붙은 겨울에도 새로운 생명을 예비하고 있었다. 겉으로는 옛 모습 그대로이지만 속으로는 이처럼 스스로 거듭나고 있었던 것이다.

'아 벌써' 라고 말하지 말자. 현상에 도취되지 않고 본질을 직시할 줄 아는 사람은 이런 말을 쓰지 않는다. 외모에 속지 않고 내면을 볼 줄 아는 사람들은 이런 말을 쓰지 않는다. 무관심이 아니라 사랑으로, 사물을 항상 곁에서 지켜보는 사람들은 이런 말을 결코 쓰지 않는다. 그 대신 그들은 이렇게 말할 것이다. '아 드디어' 라고, 아! 드디어 2월이 왔구나. 아! 드디어 매화나무의 꽃눈이 트이는구나. 드디어 겨울이 가고 봄이 왔구나.

늦잠을 즐기는 사람에게 '아 벌써' 라는 말이 잘 어울리는 시간은 아마도 오전 10시나 11임에 틀림없다. 그러나 자기 성찰력이 부족한 자에게 있어서 2월만큼 이 말이 잘 어울리는 달은 분명 없을 것이다. 여러분들은 혹시 늦잠을 즐기고 있는 것이 아닌가. 지금은 2월 첫 휴일, 오전 11시 여러분들은 아직도 이 시간을 새벽으로 알고 있는 것이 아닌가.

그러나 지금 태양도 지붕의 높이에서 빛나는 시간, 이미 점심을 마련해야 할 때이다. 일어나 뜰의 매화나무를 들여다 보아라. 거기엔 드디어 봄이 와 있다.

벌써 2월이라고 한다. 새해맞이가 엊그제 같은데, 채 설 기분이 가시지 않았는데, 아직도 무슨 일을 해야 될지 몰라 망설이고 있는데 벌써 2월이라고 한다.

2월이다. 이제부터는 출근을 서두를 때 미리 집에서부터 외투를 벗고 밖을 나서자. 출근길에 외투를 벗으려 다시 집으로 돌아오는 우를 범하지 말자. 그리고 우리 이렇게 말하자.

"드디어 2월이 왔다"

10월

무언가 잃어 간다는 것은
하나씩 성숙해 간다는 것이다.
지금은 더 이상 잃을 것이 없는 때,
돌아보면 문득
나 홀로 남아 있다.
그리움에 목마르던 봄날 저녁
분분히 지던 꽃잎은 얼마나 슬펐던가.
욕정으로 타오르던 여름 한낮
화상 입은 잎새들은 또 얼마나 아팠던가.
그러나 지금은 더 이상 잃을 것이 없는 때,
이 지상에는
외로운 목숨 하나 걸려 있을 뿐이다.
낙과落果여,
네 마지막의 투신을 슬퍼하지 마라.
마지막의 이별이란 이미 이별이 아닌 것
빛과 향이 어울린 또 한번의 만남인 것을,

우리는
하나의 아름다운 이별을 갖기 위해서
오늘도
잃어 가는 연습을 해야 한다.

아침에 일어나 세수를 하려니 손에 닿는 물의 촉감이 써늘하다. 어제까지만 해도 그렇지 않았는데 오늘 그것이 낯설게 느껴진다. 대야에 손을 담근 채 문득 하늘을 바라본다. 하늘이 전에 없이 높고 푸르다. 맑은 대기 탓인지 햇빛도 한층 엷어 보인다. 그 투명한 햇빛 사이로 하이얀 구름 한 점 유유히 떠가고 있다.

맴맴, 어디선가 매미 소리가 들린다. 하늘을 올려다 본 눈길이 나도 모르게 소리나는 곳으로 향한다. 뜰의 대추나무다. 잊지 않고 찾아온 계절의 전령, 매미는 어디 숨어 있는 것일까. 그러나 울음소리 뚝 그친 순간의 정적 속에 내 눈에 드는 것은 매미가 아니라 불긋불긋 익어가기 시작하는 대추 열매들! 아아, 어떤 시인이 가을을 노래하면서 "과목果木에 과물果物들이 무르익어 있는 사태처럼/나를 경악케 하는 것은 없다" 고 말했던가. 나의 가을은 그렇게 해서 왔다. 아니 나는 그렇게 해서 내 앞에 되돌아 와 있었다. 한 줄기 서늘한 바람으로, 강물로…….

여러분들의 가을도 그처럼 왔을 것이다. 여름 폭양에 화상 입은 상처가 아물면서 왔을 것이다. 철없이 저지른 불장난이 싸늘하게 식은 재로 꺼지면서 왔을 것이다. 오랫동안 앓던 열병에 잃었던 시력이 회복되면서 왔을 것이다. 누군가를 기다리는 어느 날 저녁의 창가, 결별의 편지처럼 떨어지는 한 장의 낙엽처럼 왔을 것이다. 빛으로 왔을 것이다. 소리와 향기로 왔을 것이다.

가을이다. 이제 우리 모두 다시 제자리로 되돌아 와 있다. 하나의 아문 상처로, 불사른 한 줌의 재로, 회복된 한 줄기의 시력으로, 결별하는 한 잎의 낙엽으로……. 지난 우리들의 여행은 참으로 슬프고 아름다웠다. 즐겁고도 고통스러웠다. 꽃잎이 벙글던 봄날 저녁 우리들의 들뜬 육신은 얼마나 열병에 시달려야 했던가. 태양을 사모해 하늘로 하늘로 잎을 피워 올리던 여름 한낮 우리들의 사랑은 또 얼마나 뜨거운 화상을 입어야만 했던가. 그러나 지금 우리는 지나간 날들을 이야기하지 말자. 그 고통과 슬픔에 대해서, 미움과 사랑에 대해서, 만남과 이별에 대해서……어차피 인간이란 고통과 슬픔이라는 빵을 먹고 자라는 나무가 아니던가.

성숙은 자기 성찰에서 이루어지는 까닭에 가을은 자기를 바라다 볼 줄 아는 계절이다. 본연의 자기와 만날 수 있는 시간이다. 그러므로 우리 가을을 뜨거운 가슴으로 맞지 말고 싸늘한 시선으로 맞자. 꿈과 열정은 봄과 여름의 것, 우리들의 가을은 이성의 투명한 유리창 속에 있다. 꽃들이 한데 어울려 태워 올리던 불길이 아니라 별빛으로 반사되는 호수의 수면, 그러니까 우리 이제 자신들을 저만큼 먼 거리에서 바라다 보자. 너와 나 한데 어우르기보다는 홀로 자신을 생각해보자. 지금 우리는 어디쯤 와 있는가.

맴맴, 다시 매미 소리가 들려온다. 서늘한 물을 얼굴에 끼얹다가 문득 대야의 수면을 들여다본다. 수면엔 파아란 하늘이 있고, 하얀 구름이 날고, 또 하나의 나의 얼굴이 쓸쓸하게 나를 응시하고 있다.

새해 아침

[illegible]

하늘은 이미
어제의 하늘이 아니다.
첫 고백을 들은 여인의
귓속에 어리는 속삭임처럼
향그럽게 감도는 바람.
우리는 오늘
닫힌 창문을 연다.

들은 이미
어제의 들이 아니다.
첫 경험한 여인의
여린 가슴에 고이는 젖처럼
부풀어 오르는 흙,
우리는 오늘
언 땅에 꽃씨를 뿌린다.

보아라
변하지 않은 자 누구인가,
영원을 말하는 자 누구인가,
내일이 오늘인 이 아침에
보아라
세계를 깨우는 황홀한 빛.

바다는 이미
어제의 바다는 아니다.
첫사랑에 빠진 여인의
푸른 눈동자에 어리는 별빛처럼
설레는 파도,
우리는 오늘
먼 항구를 향해 배를 띄운다.

사물이 낯설게 보이는 때가 있다. 그것이 그것임에는 틀림이 없는데 오늘따라 아니 이 순간 처음 보는 것 같은 그런 느낌 말이다.

아침 비행기를 타기 위해 늦 새벽 택시에 몸을 싣고 달려보라. 항상 다니던 그 길이 마치 먼 이국의 어떤 가로처럼 다가설 것이다. 고장을 일으킨 고속버스를 수리하는 동안 황혼이 내리는 들길 그 길섶에 앉아 무료하게 어두워오는 하늘을 바라보라. 가을이면 항상 보던 낯익은 풍경이지만 시야에 문득 들어오는 느티나무의 앙상한 가지와 그 위에 떨어질 듯이 얹혀 있는 한 둥지의 까치 집을 보고 여러분은 갑자기 무언가 감사하는 마음이 들 것이다. 하루 종일 눈발이 내리고 밤 되어 그친 뒤, 하얀 눈을 뒤집어 쓴 채 달빛 속에 홀로 서 있는 뜨락의 소나무를 보아라. 항상 지나치던 집의 정원수이지만 여러분은 그때 갑자기 꿇어앉아 무언가를 고백하고 싶을 것이다.

함께 커피를 마시게 된 그녀가 재빨리 당신의 잔에 크림을 치고 스푼을 저어 설탕을 녹여주었을 때 그리고 그 하이얀 백자 잔을 잡으면서 그녀의 반달 같은 분홍색 손톱을 살짝 보여주었을 때 아마도 여러분은 지금까지 별로 예쁘다고 생각해보지 않았던 그녀가 사랑스럽다는 느낌을 가질 것이다. 모처럼 출근을 하지 않아도 될 어느 봄날 아침, 마음껏 늦잠을 즐기고 일어나니 아내는 보이지 않고 중천에 떠 있는 해가 마침 탁자에 놓여 있는 그녀의 사진을 환한 한 줄기의 빛으로 감싸주었다 하자. 이 때 여러분들은 문득 행복하다는 생각을 갖게 될 것이다.

세상의 사물들은 언제나 같은 사물이 아니다. 세상의 사물들은 항상 옛날의 그것으로 남아 있는 것이 더욱 아니다. 그들은 무언가 의미가 되기를 원한다. 앙상한 느티나무 가지 위의 까치집이 유년 시절 어머니의 포근한 품으로 돌아오듯, 백자에 어리는 그녀의 연분홍 손톱이 한 떨기 수선화로 다가오듯, 세상의 사물들은 당신의 신神이 되고 싶어한다. 당신의 어머니가 되고 싶어한다. 당신의 연인이 되고 싶어한다.

아침에 일어나 여러분들은 맨 먼저 무슨 일부터 하는가. 건강을 위해서 이를 먼저 닦는가. 기분을 위해서 한 잔의 커피를 먼저 마시는가. 아니면 하루의 싸움을 위해서 텔레비전의 채널을 먼저 트는가. 아니다. 여러분들은 이 모든 것에 앞서서 분명 하는 일이 하나 더 있을 것이다. 그것은 아마도 거울을 들여다 보는 일임에 틀림없다. 거울을 쳐다보면서 여러분들은 머리칼을 쓸어넘기기도 하고 입을 벌려보기도 하고 얼굴을 찡그려보기도 한다. 아아, 거울 속에 비친 그는 나인가. 그 긴긴 겨울 한밤이 나를 어떻게 변모시켰는가 아니 나란, 나의 의미란 무엇인가.

세상의 사물들이 우리에게 다가와 무언가가 되기를 원하듯 여러분들도 누군가에게 어떤 의미가, 새로운 의미가 되고 싶을 것이다. 건강을 지키기에 앞서서, 생존의 싸움에 앞서서 신이 되고, 어머니가 되고, 연인이 되고 싶을 것이다. 새해 새 아침이다. 눈을 떠라. 그리고 새로운 언어의 눈빛으로 세계를 바라 보아라. 그러면 여러분들은 아마 신이 될 수도 있고 어머니가, 연인이 될 수도 있을 것이다. 사물은 이제 어제의 사물들이 아니기 때문이다.

새해 새 아침 세계는 이미 어제의 그 세계가 아니다.

피는 꽃이 지는 꽃을 만나듯

8월은
오르는 길을 잠시 멈추고
산등성 마루턱에 앉아
한번쯤 온 길을
뒤돌아보게 만드는 달이다.
발 아래 까마득히 도시가,
도시엔 인간이,
인간에겐 삶과 죽음이 있을 터인데
보이는 것은 다만 파아란 대지,
하늘을 향해 굽이도는 강과
꿈꾸는 들이 있을 뿐이다.
정상은 아직도 먼데
참으로 험한 길을 걸어왔다.
벼랑을 끼고 계곡을 넘어서
가까스로 발을 디딘 난코스,
8월은

산등성 마루턱에 앉아
한번쯤 하늘을 쳐다보게 만드는
달이다.
오르기에 급급하여
오로지 땅만 보고 살아온 반평생,
과장에서 차장으로, 차장에서 부장으로,
아, 나는 지금 어디메쯤 서 있는가,
어디서나 항상 하늘은 푸르고
흰 구름은 하염없이 흐르기만 하는데
우러르면
먼
별들의 마을에서 보내오는 손짓,
그러나 지상의 인간은
오늘도 손으로
지폐를 세고 있구나.
8월은
오르는 길을 멈추고 한번쯤
돌아가는 길을 생각하게 만드는
달이다.
피는 꽃이 지는 꽃을 만나듯
가는 파도가 오는 파도를 만나듯
인생이란 가는 것이 또한

오는 것.
풀섶엔 산나리, 초롱꽃이 한창인데
세상은 온통 초록으로 법석이는데
8월은
정상에 오르기 전, 한번쯤
녹음에 지쳐 단풍이 드는
가을 산을 생각게 하는 달이다.

가끔 뒤돌아보아라.

뒤돌아본다는 것은 실은 앞을 바라본다는 것이다. 앞으로 나아간다는 것이다. 사람들은 뒤돌아보는 것이 전진을 지연시키는 것으로 생각한다. 과거에 집착하는 것으로 생각한다. 뒤로 돌아가는 것으로 생각한다. 그리하여 앞으로 앞으로 나아가기만을 고집한다.

그러나 앞으로만, 앞으로만 나아가는 것이 진정 앞으로 가는 것일까. 꽃들을 보아라. 꽃들은 봄에만 피는 것 같지만, 아니다. 그들은 여름에도, 가을과 겨울에도 핀다. 코스모스를 보아라. 동백을, 에델바이스를……. 그러므로 꽃들이란 지면서 피는 것. 피는 것과 지는 것이 한데 어울어져 꽃인 것이다. 그런데 당신은 왜 항상 피는 꽃만 바라보는가.

피는 꽃이 지는 꽃을 만나듯 뒤를 한번씩 돌아보아라. 그러면 거기에 또 다른 얼굴의 당신이 있다. 타인의 모습을 한 당신. 고개 숙여 무연히 땅을 바라고 서 있는, 시선을 떨어뜨리고 쓸쓸히 담배를 피는…… 지는 꽃은, 피는 꽃 앞으로 곧 다가올 그의 모습인 것이다. 그러므로 앞으로 가기 위해서는, 참답게 앞으로 가기 위해서는 뒤를 돌아다 볼 줄 알아야 한다. 지는 꽃을 바라다 볼 줄도 알아야 한다.

당신은 지금까지 어떻게 살아 왔는가. 참 열심히 살아왔노라고 말할 것이다. 앞으로 앞으로 나아가기 위하여 부단히 노력했노라고 말할 것이다. 뒤돌아볼 틈 없이 부지런히 살았노라고 말할 것이다. 안쓰런 아내와 마음 놓고 여행 한번 즐긴 적이 없었다고 말할 것이다. 사랑하는 아이들의 식탁에 촛불 한번 제대로 밝혀 준 적 없었다고 말할 것이다. 그리하여 당신은 어찌 되었는가.

당신은 돈을 많이 벌었을 것이다. 그리하여 예전에 없던 큰 집을 짓고 밤마다 홀로 돈을 세는 재미로 살지 모른다. 아직 비어 있는 금고의 빈 공간에 돈을 채워 넣을 미래를 생각하며 뿌듯한 희망으로 살지 모른다. 도시의 변두리에 사 둔 부동산의 땅값이 조만간 오르리라는 기대로 살지 모른다. 자신의 고급승용차를 부러운 시선으로 바라보는 소시민의 선망에 우월감을 갖고 살지 모른다.

당신은 또한 높은 지위에 올랐을 것이다. 과장에서 차장으로, 차장에서 부장으로, 부장에서 실장으로…… 그리하여 회전의 자에 버티고 앉아 앞에 허리 굽히고 서서 아첨하는 부하의 눈초리를 바라보는 재미로 살지 모른다. 소시민이라면 몇 달에 걸쳐 좇아다녀도 되지 않을 일을 비서의 전화 한 통으로 해결할 수 있는 능력에 긍지를 갖고 살지 모른다.

그러나 당신을 앞서 가던 그들의 지금을 보았는가. 어떤 이들은 가족들에게서조차 버림을 받아 쓸쓸하게 생을 마치고, 어떤 이는 교도소에서 여생을 보내고, 또 어떤 이는 이웃들의 미움 속에서 하루의 해를 길게 느낀다. 인간이란 어느 땐가 제자리로 돌아가는 법, 겨울나무 마른 가지에 홀로 돌아와 앉는 까마귀처럼……

오르면 오를수록 아래를 내려다보자. 산에 오르는 것만을 등산으로 생각하지만, 봉우리를 정복하는 것만 등산으로 생각하지만 실은 우리는 내려오기 위하여 오르는 것이다. 안간힘 써, 안간힘 써 가까워진 정상은 이제 내려갈 일만 남은 곳, 그러므로 오르는 것을 잠시 멈추고 뒤돌아서서 주위를 한번 살펴보자. 풀섶엔 산나리, 초롱꽃이 한창이지만 녹음이 지쳐 단풍 드는 가을 산을 생각해보자.

피는 꽃이 지는 꽃을 만나듯, 가는 파도가 오는 파도를 만나듯, 인생은 가는 것이 오는 것, 그러므로 참답게 앞으로 나아가기 위해서는 한 번쯤 뒤돌아갈 줄도 알아야 한다.

땅을 기는 벌레는 결코 뒤를 돌아볼 수 없다.

푸르른 날에

나는 왜 장미꽃이 못 되어서
슬픈가.
자운영, 민들레, 실망초……
흐드러지게 피는 봄 언덕에,

나는 왜 꾀꼬리가 못 되어서
슬픈가.
참새, 굴뚝새, 개개비……
다투어 노래하는 봄 하늘에,

나는 왜 금강석이 못 되어서
슬픈가.
조약돌, 자갈돌, 은모래……
저마다 반짝이는 봄 강변에,

나는 왜 당신 곁에 있어도 항상

슬프기만 하는가.

누구나 고운 사람 하나씩 갖는

눈이 부시게 푸르른 날에,

왜 당신은 장미꽃이 되지 못해 슬픈가.

이 세상의 수많은 꽃들 중에서 왜 당신은 꼭 장미꽃이 되어야 하는가. 누구든 유혹하는 요염한 향기 때문인가. 뭇 사람의 눈에 띄는 그 짙은 색깔 때문인가. 항상 꽃밭에서 자라는 그 사치 때문인가. 배신의 등을 찌를 수 있는 그 앙칼진 가시 때문인가. 꺾여서 고운 이의 가슴에 매달릴 수 있는 허영 때문인가. 왜 당신은 장미꽃이 되지 못해 그리도 슬픈가.

뭇 사람을 유혹하는 향기는 진정한 향기가 아니다. 뭇 사람의 눈에 드는 아름다움은 진정한 아름다움이 아니다. 당신은 모든 사람의 당신이 될 수는 없는 것. 모든 사람의 당신이 된다는 것은 아무 것도 되지 못한다는 것이다. 그러므로 당신은 한 사람을 위한 당신이 되어야 한다. 한 사람의 영혼에 어리는 향기가 진정한 향기, 한 사람의 가슴에 드는 아름다움이 진정한 아름다움인 것. 눈을 들어 주위를 살펴 보아라. 자운영, 민들레, 실망초…… 모두 고운 님 하나씩 갖고 있지 않은가. 흐드러지게 꽃이 핀 봄 언덕에.

왜 당신은 꾀꼬리가 되지 못해 슬픈가.

이 세상의 수많은 새들 중에서 왜 당신은 꼭 꾀꼬리가 되어야만 하는가. 뭇 사람들을 유혹하는 그 요염한 목소리 때문인가. 뭇 사람들의 눈에 띄는 그 화려한 깃털 때문인가. 항상 꽃 숲에서만 노래하는 그 사치 때문인가. 동족을 깔보는 그 독주 때문인가. 고운 사람의 손에 붙들려 새장에 갇히고 싶은 허영 때문인가. 왜 당신은 꾀꼬리가 되지 못해 그리도 슬픈가.

아름다움은 누구에게나 항상 같지만은 않은 것, 당신에게 아름다운 것이 그에게도 아름다운 것은 아니다. 노래란 누구에게나 항상 같지만은 않은 것, 당신에게 감동을 주는 노래가 그에게도 꼭 같은 감동을 주는 것은 아니다. 꽃밭을 보아라. 다양한 꽃들이 모여 전체의 아름다움을 구성해 내듯 다양한 노래가 조화를 이루어 전체의 화음을 만들어 낸다. 귀를 열고 주위를 살펴 보아라. 참새, 굴뚝새, 개개비…… 저마다 고운 목청 뽑내고 있다. 뭇 새들 다투어 노래하는 봄 하늘에……

당신은 왜 금강석이 되지 못해 슬픈가.

이 세상의 수많은 돌 중에서 왜 당신은 꼭 금강석이 되어야 하는가. 영롱하게 발하는 그 눈빛 때문인가. 깨지지 않는 그 고집 때문인가. 남과 어울리지 못해 항상 홀로 있는 그 독선 때문인가. 쇼윈도의 화려한 조명을 즐기는 그 허영 때문인가. 돈에 팔려 유랑하는 그 바람기 때문인가. 고운 이의 장식물로 생을 만족하는 그 게으름 때문인가. 왜 당신은 금강석이 되지 못해 그리도 슬픈가.

그가 지닌 찬란한 빛을 부러워하지 마라. 그것은 자신으로부터 오는 것이 아니라 단지 햇빛의 반사일 뿐이다. 그 깨지지 않는 고집을 또 부러워하지 마라. 인생이란 때때로 깨지는 것이 아름다운 법. 그래서 헤어질 때가 되어 헤어지는 사랑이 아름답다고 시인은 말하지 않았던가. 고가의 화려한 장식물로 살기를 꿈꾸지 마라. 가난하지만 자신만이 홀로 영위하는 삶이 더 행복한 것. 눈을 들어 주위를 살펴보아라. 조약돌, 자갈돌, 은모래……지금도 세상의 모든 돌들은 각자 자신의 존재들로 반짝인다. 햇빛 찬란하게 쏟아지는 봄 강변에…….

왜 당신은 항상 슬프기만 하는가. 눈을 들어 주위를 살펴보아라. 그는, 당신이 사랑하는 그 사람은 지금 바로 당신의 곁에 있다. 당신을 무연히 바라보고 있다. 왜 당신은 항상 슬프기만 하는가. 그것은 당신이 무언가 다른 것이 되려하는 그 마음 때문이다.

봄 과수원

그새 어디 숨어 있다가
다들 이렇게 모였을까,
"앞으로 나란히"
손들을 쭉 뻗고 열 지어 선
여린 배꽃들.
대견스럽게 지켜보는 학부모들의 시선이
밝다.
다홍치마 진달래, 노랑 회장저고리
개나리, 분홍 두루마기를 걸친
벚꽃들…….
어느새 그렇게 컸을까,
겨울 지나 푸르른 봄
3월,
가슴에 하얀 손수건을 하나씩 차고
초등학교 운동장에 열 지어 선
배꽃 아이들,

"앞으로 나란히"

봄은 입학식인가.

모든 학교는 봄에 입학식을 거행한다. 새 학년도 봄에 시작한다. 매서운 겨울의 추위가 지나고 이제 제법 따뜻한 봄볕이 내리기 시작하는 봄 3월, 각급 학교의 교문을 한번 보아라. 초등학교든, 중등학교든, 대학교든…… 꽃다발을 든 초년생들의 애띤 모습들이 싱그럽지 않던가. 말쑥한 새 교복과 새 책가방을 메고 등교하는 학생들의 모습이 활기에 차 보이지 않던가.

그때 문득 당신은 이들과 어울려서 함께 교정으로 따라 들어가고 싶은 충동에 사로잡힐 것이다. 옛날의 그 정다운 교실, 그 걸상에 앉아 그리운 친구들과 더불어 떠들고 싶은 충동에 사로잡힐 것이다. 문득 황홀했던 젊은 날의 한 시절로 돌아가는 듯한 착각에 사로잡힐 것이다. 달력으로는 한 해의 사분지 일이 이미 지났건만, 일상의 삶은 이미 손때가 묻기 시작하였건만 이 때 비로소 새로운 일 년이 시작됨을 실감하게 되는 우리의 의식.

계절이 있다는 것은 참으로 축복 받을 일이다. 겨울이 있다는 것은, 봄이 있다는 것은, 그리하여 무언가 하나의 일에 결말을 짓고, 새로운 마음으로, 새로운 각오로 다시 시작할 수 있다는 것은 은혜로운 일이다. 승산 없는 전쟁에 매달려 끝없는 인명의 살상만을 되풀이한다면 얼마나 큰 재앙이 되겠는가. 도산해 가는 기업을 붙들고 자본을 축내면서 이윤은 커녕 한없이 빚덩이만을 키우고 있다면 이 얼마나 큰 파국이 되겠는가. 뇌졸증으로 쓰러진 환자가 식물인간의 상태로 누워 끝없이 생명을 연장하고 있다면 이 얼마나 큰 절망이 되겠는가. 자신을 버리고 떠난 연인을 영원히 잊지 못해 한가지로 그리워만 한다면 이 얼마나 큰 고통이 되겠는가.

이길 수 없는 전쟁은 하루빨리 종전해야 한다. 재기할 수 없는 사업은 하루빨리 정리해야 한다. 회복 불가능한 질병은 하루빨리 끝장내야 한다. 다시 재회할 수 없는 사랑은 하루빨리 잊어야 한다. 모든 이루어질 수 없는 일들은 가능한 빨리 청산하고 새로운 각오로 다시 출발하는 것이 현명하다. 그리하여 자연은 사계절을 두고 있는 것. 이 세상 한 사람만이 영원한 승리와, 번영을 누린다는 것은 부당하지 않겠는가. 이번에 패배한 사람에게는 다음 번에 다시 재기할 수 있는 기회를 주는 것이 도리인 것.

자연은 항상 공평하다. 그리하여 사계절이 있고 그 사계절을 영원히 회귀시킨다. 한 번으로 영원한 승자를 결정짓지 않는다. 작년의 패배자가 올해 다시 승자가 될 수 있는 기회를 제공한다. 동등한 조건에서 새봄을 기약한다. 그 따뜻한 햇빛이, 그 달콤한 수액이, 그 신선한 빗물이 어디 한 특정한 나무에게만, 한 특정한 풀잎에게만 주어졌던가. 설령 그러한 일이 있었다 하더라도 잊지 않고 다음 해에 이를 보상해주는 것 또한 자연이다. 지난해의 결과가 어떻다 하더라도 올해의 승패는 오직 그 하기 나름인 것.

봄에는 인간만이, 학생만이 입학식을 하는 것이 아니다. 산에 가 보아라. 과수원에 가 보아라. 당신은 거기서 신입 학동들의 즐거운 입학식을 볼 수 있을 것이다. 봄 과수원의 물오른 과목들은 꼭 운동장에 모인 신입 초등학생들이 입학식에 줄지어 서 있는 것 같아 보이지 않던가. 배꽃 같은, 복숭아꽃 같은 손수건을 가슴에 차고 '앞으로 나란히' 손들을 쭉 뻗치고 서 있는 그 싱싱한 어린이들. 이를 대견스럽게 지켜보는 학부모들의 시선이 밝다. 다홍치마를 입은 진달래, 노랑 회장저고리를 입은 개나리, 분홍 저고리를 걸친 벚꽃들…… 어느새 그렇게 컸을까. 겨울 지나 푸르른 봄, 자연의 운동장엔 모두가 입학의 즐거움으로 들떠 있다.

그러므로 실패에 연연해 하지 마라. 인생은 항상 새로운 출발이 있어 인생이다.

슬픔

비 갠 후

창문을 열고 내다보면

먼 산은 가까이 다가서고

흐렸던 산색은 더욱 푸르다.

그렇지 않으랴,

한 줄기 시원한 소낙비가

더럽혀진 대기, 그 몽롱한 시야를

저렇게 말끔히 닦아 놨으니.

그러므로 알겠다.

하늘은 신神의 슬픈 눈동자,

왜 그는 이따금씩 울어서

그의 망막을

푸르게 닦아야 하는지를,

오늘도

눈이 흐린 나는

확실한 사랑을 얻기 위하여

이제
하나의 슬픔을 가져야겠다.

슬픔을 갖는다는 것은 마음속에 한 개의 보석을 갖는다는 것이다.

부서지고 부서져서 더 이상 깨지지 않는 돌, 가두고 얼려서 더 이상 화상을 입히지 않는 불, 굳히고 닦아서 더 이상 적시지 않는 물, 투명한 돌, 차가운 불, 굳어버린 물, 슬픔을 갖는다는 것은 마음속에 한 개의 보석을 갖는다는 것이다.

한 알의 보석을 갖기 위하여 깜깜한 지층을 내려간다. 어둠 속에서 어둠 속으로, 미궁에서 미궁 속으로…… 갱도는 위험했다. 블랙홀처럼 순식간에 빠져드는 크레바스, 흑점처럼 폭발하는 용암의 분출, 혜성의 충돌처럼 와르르 무너지는 흙사태, 아, 우리들이 캐야 할 보석은 어디에 있는가. 현혹되지 않도록 두 눈을 감싸맨 채 무딘 손의 감각만으로 흙더미를 파헤친다. 흙을 밝히는 별들을 찾는다. 은하 건너 블랙홀을 넘어서는 우주선같이……

한 알의 보석을 갖기 위하여 채취한 원광석을 부수고 깨트린다. 갈고 또 간다. 고체가 액체의 경계에 이를 때까지, 드디어 그 돌 속에 푸른 바다가 넘칠 때까지 부수고 깨뜨리고 닦는다. 고체가 기체의 경계에 이를 때까지 드디어 그 돌 속의 푸른 하늘이 열릴 때까지, 한 알의 보석을 갖기 위하여 채취한 원광석을 불에 녹이고 또 물에 식힌다. 모든 이물질을 정련해버린다. 순수한 빛과 투명한 물의 결정, 불로 단련되고 물로 정결해진 마음이 있다. 모든 것을 버려 그 자신 하늘이 된 마음이 있다.

눈빛은 마음의 보석이 발하는 빛, 그 빛의 순결을 위해서는 가끔 울 줄도 알아야 한다. 울어서 흐린 눈동자를 말끔하게 씻어내야 한다. 슬픔을 가져라. 너의 눈동자는 지금 흐려 있다. 사랑과 증오의, 분노와 원한의 질투와 배신의 타오르는 불꽃, 네 시선은 지금 어디를 향하고 있는가. 자만과 아집의, 편견과 탐욕의, 경멸과 혐오워, 넘실대는 물, 네 눈빛은 지금 어디로 향하고 있는가. 슬픔을 가져라. 네 눈물은 물로 불 타고 불로 얼어붙는 보석, 더 이상 물과 불의 적대를 허락지 않는다.

왜 하늘에서는 항상 비가 와야만 하는가. 왜 비가 오지 않아서 가물면 이 땅은 척박한 사막이 될 수밖에 없는가. 어제는 오랜만에 함초롬히 비가 내렸다. 한줄기 시원한 소낙비로 더럽혀진 대기, 메마른 땅은 말끔하게 씻겨져 내렸다. 비 갠 후 창문을 열고 보니 먼 산은 가까이 다가서고 흐렸던 산색은 더욱 푸르다. 평소엔 몽롱하여 보이지 않던 시야가 순간적으로 환하게 트이는 것이다. 사람과 사람 사이의 일도 이처럼 시야가 항상 트여 있다면 얼마나 좋을 것인가. 그러고 보니 이제 알겠다. 하늘은 신의 눈동자였던 것을……

신도 그 마음의 보석을 빛내기 위해서는 자신의 눈동자를 가끔씩 말갛게 씻어내야 하는 것일까. 그래야만 독선과 편견 대신 자비와 사랑으로 이 세계를 섭리할 수 있는 것일까. 이 지상에 보석이 있듯 하늘에는 별이 있다. 인간에게 마음이 있듯 하늘에는 구름이 있다. 그리고 이 인간에게 눈물이 있듯 하늘에는 또 빗물이 있는 것이다. 그러므로 하늘이 가끔씩 울어서 이 더럽혀진 대기를 씻어주는 것처럼 우리들 인간도 기끔은 울어야 한다. 원한과 슬픔의 눈물이 아니라 사랑과 화해의 눈물을.

슬픔을 갖는다는 것은 마음속에 한 개의 보석을 갖는다는 것이다. 부서지고 부서져서 더 이상 깨지지 않는 돌, 가두고 얼려서 더 이상 화상을 입히지 않는 돌, 굳히고 닦아서 더 이상 적시지 않는 물, 투명한 돌, 차가운 불, 굳어버린 물, 슬픔을 갖는다는 것은 마음속에 한 개의 보석을 갖는다는 것이다.

하나의 빛나는 슬픔을 갖자. 영혼을 말갛게 씻어줄 하늘의 물, 보석같이 영롱한 슬픔을 갖자.

빈 공간은 심심하다

슬픔은 참을 수 있다.
아픔도 참을 수 있다.
그러나 권태는 참을 수 없는 것,
텅 빈 하늘이
해를 걸어놓듯
바다는 항상 물결을 이루고
바람은 가지를 잠재우지 않는다.
빈 공간은 심심하다.
백지에 낙서하듯
꽃눈이 하나씩 트는 봄날 오후,
꿩처럼 한낮을 울 수 없거든
우리가 할 일은 이제
사랑뿐이다.

비어 있는 모든 것은 견딜 수가 없다.

비어 있는 공간은 권태롭다. 비어 있는 마음은 무료하다. 비어 있는 의미는 허무하다. 우주를 보아라. 텅 비어 있는 것에서 오는 그 권태를 몰아내기 위하여 누군가 해와 달과 별을 하늘에 달아 놓지 않았던가. 대지를 보아라. 아무도 없는 것에서 오는 그 무료함을 달래기 위하여 누군가 짐승과 나무와 새들을 만들어 땅에 풀어 놓지를 않았던가. 인간을 보아라. 덧없는 것에서 오는 허무감을 달래기 위하여 극장을, 학교를, 사원을 짓지 않았던가.

이 세상의 모든 것은 권태를 싫어한다. 무료함을 싫어한다. 그리하여 그들은 텅 빈 공간, 텅 빈 마음을 벗어나고자 한다. 무언가를 만들고, 무언가를 이루고, 무언가를 벗어버리고자 한다. 당신도 모래가 곱게 깔린 텅 빈 백사장에서는 무엇이든 글자를 써 놓고 싶을 것이다. 하이얀 눈밭엔 발자국을 남기고 싶을 것이다. 부드럽고 고운 진흙을 보면 무언가를 빚고 싶을 것이다. 아름다운 꽃을 보면 꺾고 싶을 것이다. 귀여운 여자를 보면 사랑하고 싶을 것이다. 그리하여 어떤 시인은 "세상이 하도나 고요하여서 난초는 궁금해 꽃피운다"고 하지 않았던가.

그러므로 텅 빈 모든 것을 보아라. 그들은 항상 무엇인가를 채우고 싶어한다. 사막은 신기루로 채우고 싶어하며, 호수는 별들로 채우고 싶어하며, 숲은 새들로 채우고 싶어하며, 나무는 꽃들로 채우고 싶어하며, 인간은 사랑으로 채우고 싶어한다. 어디 그뿐이랴. 빈 병은 술로 채우고 싶어하며, 빈 그릇은 빵으로 채우고 싶어한다. 무료함을 달래는 그 심심풀이가 없다면, 궁금함을 삭이는 그 호기심이 없다면 이 세상은 한낱 백지나, 백치일 따름이다.

누구의 작품인가. 밤하늘에 무수히 반짝이는 별, 빈 공간이 심심한 신도 밤이 되면 하늘에 별들을 뿌린다. 아무 것도 없는 저 절대의 허무를 빛으로 메우려는 그의 권태, 어떤 별은 허공에 떨어져 북극성이 되고 어떤 별은 십자성이 되고 어떤 별은 무리지어 은하수가 되지만 아아. 어떤 별은 지상에 추락해서 보석이 된다.

농부는 빈 땅에 씨앗을 뿌린다. 무엇인가 채워지기를 기다리는 그의 빈 공간, 견우와 직녀가 하늘의 밭을 갈아 거기 별들을 뿌리듯 농부도 쟁기로 빈 땅을 갈아엎어 무료한 그의 땅에 씨앗을 뿌린다. 흙 위에 떨어져 어떤 것은 꽃이 되고, 어떤 것은 밀이 되고, 어떤 것은 또 나무가 되는 그의 씨앗. 농부가 부드러운 흙을 일궈 밭을 가는 것은 실은 그의 빈 공간을 채우기 위함이다.

나의 빈 공간은 원고지, 나도 원고지의 빈 칸을 글자들로 메운다. 신이 그의 하늘을 빛으로 메우려는 것처럼, 농부가 그의 농토를 작물로 메우려는 것처럼 나도 원고지를 갈아엎고 그것을 말씀으로 메우려한다. 혁명이 굳은 이념을 깨부수고 새것을 창조해내듯 뒤집힌 흙이랑에 ㄱ,ㄴ,ㄷ,ㄹ…… 글자를 뿌리려 한다.

비어 있는 모든 것은 견딜 수가 없다.

비어 있는 공간은 권태롭다. 비어 있는 마음은 무료하다. 비어 있는 의미는 허무하다. 우주를 보아라. 텅 비어 있는 것에서 오는 그 권태를 몰아내기 위하여 누군가 해와 달과 별을 하늘에 달아 놓지 않았던가. 대지를 보아라. 아무도 없는 것에서 오는 그 무료함을 달래기 위하여 누군가 짐승과 나무와 새들을 만들어 땅에 풀어 놓지를 않았던가. 인간을 보아라. 덧없는 것에서 오는 허무감을 달래기 위하여 극장을, 학교를, 사원을 짓지 않았던가.

세상은 하나의 공간, 거기에 산이 있고, 강이 있고, 바다가 있다. 꽃이 있고, 숲이 있고, 새가 있다. 하지만 언제인가 한번은 권태로 구겨져 휴지로 돌아가게 될 지면紙面, 당신은 새로 마련될 이 원고지의 빈 칸을 이제 어떻게 메울 것인가.

제자리

급류에
돌멩이 하나 버티고 서 있다.
떠밀리지 않으려고 안간힘 쓰며
제자리를 지키고 있다.
떠가는 꽃잎처럼,
풀잎처럼
흐르는 물에 맡기면 그만일 터인데
어인 일로 굳이 생고집을 부리는지.
하늘의 흰 구름 우러러보기가
가장 좋은 자리라서 그런다 한다.
이제 보니 계곡의 그 수많은 자갈들도
각자 제 놓일 자리에 놓여 있구나.
아서라.
일개 돌멩이라도
함부로 옮겨서는 아니 될 듯.
뒤집을 일은 더욱 아니 될 듯.

바위도 제자리에 놓여야 바위다.

바위라고 해서, 자갈이라고 해서, 하잖은 돌멩이라고 해서 깔보지 마라. 함부로 옮기거나, 뒤집거나, 던지지 마라. 옮겨진 돌멩이는 항거하며, 뒤집힌 돌멩이는 분노하며, 던져진 돌멩이는 증오한다. 내 이마에 피를 보고 나서야 땅에 떨어지는 돌멩이, 내 유리창을 바싹 깨트리고 나서야 지상에 안주하는 돌멩이, 말이 없다고 해서, 표현이 없다고 해서 생각조차 없는 것은 아니다. 감정조차 없는 것은 더욱 아니다. 바위도 제자리에 놓여야 바위인 것이다.

계곡의 저 수많은 바위들을 보아라. 강변의 저 헤아릴 수 없는 자갈들을 보아라. 그저 그렇게 놓여 있는 것 같지만 그저 아무렇게나 굴러다니는 것 같지만, 아니다. 그들도 꼭 놓여 있어야 할 자리에 놓여 있는 것, 있어야 할 자리를 알아 거기 있는 것이다. 하늘의 별들이 그런 것처럼, 지상의 꽃들이 그런 것처럼……. 별들이 모여 별자리를 구성하고, 꽃들이 모여 꽃밭을 이루듯이…….

바위도 제자리에 놓여야 바위다.

계곡의 저 수많은 바위들을 보아라. 어떤 것은 외톨이로 홀로 있고, 어떤 것은 두 개가 서로 포개어 하나가 되어 있고, 어떤 것은 각자 마주보고 대립해 있지 않은가. 계곡의 저 수많은 자갈들을 보아라. 어떤 것은 무리를 지어 집단을 이루고 있고, 어떤 것은 큰 것 밑에 깔려 있고, 또 어떤 것은 다른 것의 등에 엎히어 있다. 엎디어 있는 것도 있고, 앉아 있는 것도 있고, 서 있는 것도 있다. 큰 것은 큰 대로, 작은 것은 작은 대로 자기 분수에 맞게 놓여 있다.

저 돌멩이는 왜 하필 급류 속에 서 있는가. 왜 떠내려 가지 않으려고 안간힘 쓰며 안간힘 쓰며 제자리에 버티고 서 있는가. 당신은 아마 모르겠지만 그것은 그 자리가 하늘의 북극성을 바라보는데 제일 좋기 때문이다. 저 바위는 왜 하필 몸을 반쯤 물에 적신 채 강 언덕에 앉아 있는가. 차가운 물에 자신이 얼리는 것도 괘념치 않고 온 종일을 거기 강가에 앉아 있는가. 당신은 아마도 모르겠지만 그것은 그 자리가 은어 떼와 노는데 가장 좋기 때문이다.

숲 속의 바위는 산벚나무 지는 꽃잎들을 받는데 가장 아름다운 장소라서 거기 있는 것이며, 산 언덕의 바위는 하늘의 흰 구름을 보는데 가장 알맞은 장소라 거기 있는 것이며, 절벽의 바위는 투신 자살을 감행하는데 가장 만만한 장소라서 거기 있는 것이며, 응달진 샘가의 바위는 난초를 안아 키우는데 가장 안락한 장소라서 거기 있는 것이며, 길바닥에서 머리만 내놓은 채 박혀 있는 돌멩이는 짓밟는 자를 증오하는데 가장 적합한 장소라서 거기 있는 것이다.

선택된 돌멩이라고 자랑하지 마라. 사람의 손에 들려서 요긴하게 쓰인다고 자랑하지 마라. 어떤 것은 깎여서 석재石材가 되고, 어떤 것은 새겨서 비석이 되고, 또 어떤 것은 아귀에 맞추어 축대가 되지만 이미 그들은 더 이상 돌이 아닌 것, 더 이상 존재가 아니라 도구로 전락한 물건일 뿐.

봄이 와 까마득한 계곡의 아래에서는 꽃들이 잔치를 벌이고 있지만 높은 벼랑의 축대를 받치고 있는 돌들은 아마 아무 것도 부러워 하지 않으리라. 받드는 누각과 힘과 힘을 모두어 지키는 이념이 있는 까닭에……. 그러나 그들은 모른다. 그들의 정원에도 어느덧 꽃나무가 자라고 있다는 것을, 바람에 불려온 민들레 씨앗 하나가 수줍게 싹트고 있다는 것을……. 그리하여 꽃이 피고 마침내 어느 여름 밤, 그의 사랑이 격정의 소나기로 가슴을 울렸을 때 그는 문득 듣게 될 것이다. 와르르 무너지는 축대의 굉음을, 하나의 이념이 덧없이 무너지는 소리를.

그러므로 일개 바위라도, 일개 돌멩이라도 자유롭게 제 자리를 지킬 때 바위인 것이다. 놓일 자리에 놓여 있어야 돌멩이인 것이다. 하찮은 돌멩이라고 깔보지 마라. 함부로 뒤집거나, 옮기거나, 던지지 마라.

편지

나무가
꽃눈을 틔운다는 것은
누군가를 기다린다는 것이다.

찬란한 봄날 그 뒤안길에서
홀로 서 있던 수국
그러나 시방 수국은 시나브로
지고 있다.

찢어진 편지지처럼
바람에 날리는 꽃잎,
꽃이 진다는 것은
기다림에 지친 나무가 마지막
연서를 띄운다는 것이다.

이 꽃잎, 우표 대신 봉투에 부쳐 보내면

배달될 수 있을까.
그리운 이여,
봄이 저무는 꽃 그늘 아래서
오늘은 이제 나도 너에게
마지막 편지를 쓴다.

감꽃이 땅 위에 스산히 흩어져 뒹굴던 어느 봄날 오후를 기억할 것이다. 약속했던 그는 끝내 나타나지 않고 밤새워 쓴 편지를 전하지 못해 구겨서 빈 주머니에 다시 집어 넣으며 쓸쓸히 돌아서던 길목, 항상 피아노 소리가 들리던, 그 탱자 울타리 집 대문 앞에 서 있던 감나무는 그날따라 등불을 꺼트린 채 말없이 우두커니 서 있기만 했다. 그 옆의 철 다한 수국 한 그루도……

그날도 어김없이 들려오던 쇼팽의 선율이 알레그로에서 마치 한 줄기 바람인양 휘몰아치자 분분히 지던 것은 수국의 가녀린 꽃잎들이던가. 더러는 힘없이 떨어져 땅 위에 뒹굴고, 더러는 탱자 울의 가시에 찢기고, 더러는 허공중에 무연히 날리고…… 그때 무심히 내 발등에 떨어지던 연두색 꽃 이파리 하나, 가만히 들여다보니 한쪽 여린 부분이 안쓰럽게도 벌레 먹어 있다. 나도 모르게 주워 구겨진 편지 사이에 끼운다. 집에 돌아가면 이 편지를 다시 곱게 펴 접어두리라. 언제인가 다시 그게에 보내리라.

정신을 차려 다시 귀를 기울인다. 거짓말처럼 피아노 소리는 간데없다. 연주는 끝나버린 것이다. 귀에는 아직 여운이 남아 있는데, 꿈결인양 발자취 소리 아련한데, 마치 없었던 것처럼 허공은 적막하기만 하다. 이제 음악은 바야흐로 침묵일 따름이다. 그러나 우리는 그 침묵을 음악이라고 한다. 그 침묵을 못 잊어 애달파 한다. 만남도 정녕 그러한 것인가. 지금 없는 것은 없는 것인가. 설령 있었다 하더라도 없는 것이나 마찬가지인가. 고막의 울림에서 멀어져간 소리는 이미 소리가 아니다. 떠나버린 그가 이미 그가 아닌 것처럼…… 한 소절의 선율은, 한 떨기의 꽃잎은 한줄기의 바람은 그냥 그렇게 내 앞을 스치고 지나갔다. 찬란한 슬픔의 봄에, 아름다워서 허무한 그 봄날의 오후에.

나는 지금 가을의 사람, 시든 국화꽃 대궁이 하얗게 서리를 뒤집어 쓴 50대 중반에도 철들지 못한 아, 빈손에 가랑잎 하나 주워들고 가을비에 눈썹을 적시고 있다. 그때 그 편지는 지금 어디 갔는가. 그 사이에 끼워둔 꽃잎은, 그 꽃잎에 밴 재스민 향기는, 그 향기에 어리던 맑은 눈동자는…… 서랍 안에도, 책갈피 사이에도, 어린 시절의 앨범 속에도, 그 음성 그 시선은 찾을 길 없다. 어디로 갔을까 탱자 울 밑에 서 있던 옛날의 모습을 하고 내 시의 행간에 숨어 있는 것일까. 불 태워진 일기장과 함께 한 줌의 재로 땅 속에 묻혀 있는 것일까.

우표는 인간만이 만든 통신수단이 아니다. 바람에 분분히 날리는 꽃잎 역시 하늘 가던 우표들이 아니던가. 세상의 존재는 누구나 자신의 의사를 전달할 줄 아는 법, 밤하늘의 별은 반짝이는 빛을 통해서, 말없는 산은 흐르는 물을 통해서, 꿈꾸는 호수는 한 마리 백조를 통해서 그리운 이에게 안부를 묻는다. 언젠가 보내리라던 그 기약은 이미 잊혀진 지 오래, 편지의 내용조차 지금은 기억에 희미해졌지만 기다림에 지친 내 젊은 날의 편지도 이제는 한 장의 꽃잎 우표에 붙여진 채 스스로 먼 하늘의 주소를 찾아 내 곁을 떠나간 것이 틀림없다.

봄날, 하롱하롱 바람에 흩날리는 꽃잎을 보아라. 그것은 꽃잎이 아니다. 땅에 떨어져 썩는 유기물은 더욱 아니다. 그것은 기다림에 지친 존재가 마지막으로 띄우는 엽서, 모든 살아 있는 것은 기다림에 살고 또 모든 기다리는 것은 마지막의 순간에 편지를 띄운다.

여러분들도 그 마지막을 위해서 편지를 쓸 준비가 되어 있는가. 청첩장이 아니고, 청구서가 아니고, 카드 결산서가 아닌 인생의 그 마지막 기다림을 위해서 한 장의 편지를…… 만일 그렇지 않다면 봄날, 흩날리는 꽃잎들을 무심히 보지 마라. 그 하나를 주워 소중히 일기장에 끼워두어라.

기다림 끝에

한 알의 능금 속엔
부신 햇빛이 고여 있다.
우주를 굽어보는 태양의
눈빛이,

한 알의 능금 속엔
푸른 물소리가 고여 있다.
영원과 찰나를 오가는 바다의
해조음이,

한 알의 능금 속엔
맑은 향기가 고여 있다.
지상으로 떨어지는 별들의 마지막
입맞춤이,

아, 그 빛과 소리와 향기로

차오르는……
한 알의 사과를 따먹는다는 것은
우주를 갖는다는 것이다.

그러나 아직 우리는 여름
기다리자.
능금은 가을에 익는다.
오랜 기다림 끝에 비로소 오는
우리들의 성숙.

능금은 봄에 익는 것이 아니라 가을에 익는다.

가을에도 늦가을, 햇빛이 가장 넉넉하게 그 유약한 피부를 그슬려 줄 때, 대지가 가장 넉넉하게 수액을 뿜어줄 때, 가장 넉넉하게 바람의 향기가 두 뺨을 간질여 줄 때 익는다. 봄은 꽃이 피는 계절, 기다림 끝에 가을은 오고 그제야 능금은 익는 것이다.

능금은 봄에 따는 것이 아니라 가을에 딴다.

전지하면서 입은 손목의 상처가 아물어 고운 살이 돋아날 때, 아름다운 아내가 이제 일손을 놓고 한가히 아이에게 젖꼭지를 물려도 괜찮을 때, 사랑스런 동생에게 좋은 남자가 생겨 한 살림을 차려줄 날이 돌아올 때, 농부는 그의 풍성한 과원에서 능금을 딴다. 봄은 땀 흘려 가꾸는 계절, 기다림 끝에 가을이 오고 그제야 농부는 능금을 따는 것이다.

과실에게는 기다림이라는 것이 있다. 익지 않은 과실은 과실이 아닌 것, 익기 위해서는 기다려야 한다. 수목은, 자연은, 아니 인간은…… 노역에 시달리던 그 긴 여름을 누군들 즐겁다 하겠는가. 땀과 눈물과 한숨으로 얼룩진 인생을 누군들 행복하다 하겠는가. 그러나 기다림의 끝에 가을이 오는 것, 그는 땀과 눈물과 한 숨을 거두어 빛과 향으로 거듭나게 한다.

잘 익은 한 알의 능금을 보아라. 거기에는 푸른 하늘이 고여 있다. 푸른 하늘에 떠가던 잔잔한 흰 구름과 비 갠 뒤 떠오르던 그 찬란한 무지개, 하늘을 우러러 살지 않은 자는 과육의 참 맛을 모른다. 하늘의 은총을 모른다.

잘 익은 한 알의 능금을 보아라. 거기에는 밝은 햇빛이 고여 있다. 어둠을 헤치고 솟아오르던 그 장렬한 태양의 의지, 우주를 굽어보던 그 빛나던 시선, 빛을 향해 나아가지 않은 자는 과육의 참 맛을 모른다. 빛의 은총을 모른다.

잘 익은 한 알의 능금을 보아라. 거기에는 맑은 물소리가 고여 있다. 먼 산 계곡으로부터 흘러와 지상에서 지하로 부드럽게 적시는 물, 존재와 존재의 벽을 스미고 허물어 거듭나게 하는 생명수, 뿌리를 대지로 뻗지 않은 자는 과육의 참 맛을 모른다. 물의 은총을 모른다.

잘 익은 한알의 능금을 보아라. 거기에는 바람이 고여 있다. 별들이 전해준 그 향기로운 입김과 해조음에 실려온 먼 바다의 자장가, 능금은 바람으로 잠들고 바람으로 꿈꾼다. 한번쯤 바람에 흔들리지 않은 자는 과육의 참 맛을 모르리라. 그 바람의 은총을……

하늘과 바람과 햇빛이 수액으로 찰찰 넘치는 한 알의 능금을 먹는다. 그 안에 떠 있는 하이얀 구름과 찬란한 무지개를 내 가슴에 띄운다. 그 안에 감도는 별들의 숨결을 품는다. 먼 바다의 해조음을 듣는다. 그 안에 넘치는 빛으로 내 흐린 눈을 씻는다. 그 안에 고인 한 모금의 생명수로 목마른 입술을 적신다. 아. 그 빛과 소리와 향기로 차오르는…… 한 알의 능금을 따먹는다는 것은 우주를 갖는다는 것이다.

그러나 능금은 봄이 아니라 가을에 익는 것, 늦여름의 햇빛이 가장 넉넉하게 그 유약한 피부를 그슬려 줄 때, 대지가 가장 넉넉하게 수액을 뿜어 줄 때, 가장 넉넉하게 바람의 향기가 두 뺨을 간질여 줄 때 익는다. 봄에 꽃이 피지만, 여름에 성숙하지만 그 긴 기다림 끝에 가을이 오는 것, 땀과 눈물과 상처로 얼룩진 여름을 보내야만 자연은 은총의 계절을 허락해 주는 것이다 .궁휼한 농부의 안식을 허락해주는 것이다.

기다리자.

빛과 향과 맛으로 어우른 우리들의 성숙, 능금은 가을에 익는다.

멀리 있는 것은 아름답다

2007년 8월 22일 초판 인쇄
2007년 9월 1일 초판 발행

지은이 | 오세영
펴낸이 | 孫貞順
펴낸곳 | 도서출판 작가
서울 서대문구 북아현3동 1-1278 (우120-866)
전화 | 365-8111~2 팩스 | 365-8110
이메일 | morebook@korea.com
홈페이지 | www.morebook.co.kr
등록번호 | 제13-630호(2000. 2. 9.)

편집 | 김이하 이현호 곽대영
디자인 | 박은정
영업 | 손원대
관리 | 이용승

ISBN 978-89-89251-65-1

값 9,500원